CB124456

Pequeno livro de

COZINHA

Guia para toda hora

CIP-BRASIL. CATALOGAÇÃO NA FONTE
SINDICATO NACIONAL DOS EDITORES DE LIVROS, RJ

Z32p

Zanelati, Fabiana
Pequeno livro de cozinha : guia para toda hora / Fabiana Zanelati, Kátia Najara. - Campinas, SP : Verus, 2009.
il.

ISBN 978-85-7686-057-0

1. Culinária. 2. Economia doméstica. I. Najara, Kátia. II. Título.

09-4007

CDD: 641.5
CDU: 641.5

Fabiana Zanelati
Kátia Najara

Pequeno livro de COZINHA

Guia para toda hora

VERUS editora

Editora
Raïssa Castro

Copidesque
Ana Paula Gomes

Revisão
Raïssa Castro

Capa & Projeto Gráfico
André S. Tavares da Silva

Diagramação
André S. Tavares da Silva
Rossana Cristina Barbosa

© 2009 Verus Editora

Todos os direitos reservados.
Nenhuma parte desta obra pode ser reproduzida ou transmitida por qualquer forma e/ou quaisquer meios (eletrônico ou mecânico, incluindo fotocópia e gravação) ou arquivada em qualquer sistema ou banco de dados sem permissão escrita da editora.

VERUS EDITORA
Rua Benedicto Aristides Ribeiro, 55
Jd. Santa Genebra II - 13084-753
Campinas/SP - Brasil
Fone/Fax: (19) 3249-0001
verus@veruseditora.com.br
www.veruseditora.com.br

Agradecimentos

Às nossas famílias; às queridas companheiras Si Veloso, Clau Tomasi e Grasi Moreira; à Cristiane Matos, pela força e incentivo; aos queridos Marcus, Lu, Naná e LG, as melhores cobaias que uma cozinheira pode ter; à Fer Guimarães e a todos os leitores e leitoras do *blog* Rainhas do Lar.

SUMÁRIO

PREFÁCIO

"Virou parte da nossa rotina reservar aquele tempinho na correria básica diária, enquanto se tenta conciliar tarefas domésticas, carreira profissional, educação de filhos e tal, para fazer uma visita e bater um papo com as rainhas do lar" (Fabiana e Kátia).

Na companhia dessas meninas multitalentosas, nem se vê o tempo passar e aprende-se sempre e muito. Mulheres modernas e arrojadas, as rainhas não têm preconceitos nem papas na língua e abordam todo e qualquer assunto. Caiu na rede é peixe. Divertidas, independentes, despojadas, criativas e muito sabidas, elas são uma inesgotável fonte de inspiração. E todos os assuntos discutidos no *blog* Rainhas do Lar são abordados de uma perspectiva prática. Nada se enrosca em complicações, porque ninguém tem tempo sobrando para isso. O "conversê" é sempre descontraído, ressaltando a importância da vida com qualidade e também do prazer de viver.

Popularidade, sucesso e repercussão na mídia, tudo isso já estava mais do que merecidamente conquistado pelas rainhas. O que mais faltava? Sim, faltava alguma coisa. Pois é, estava faltando um LIVRO! As conversas mais relevantes sobre o lar, mais especificamente sobre a cozinha, tinham que ser impressas nas páginas de um livro, disponibilizando assim no papel muitas das dicas, ideias, conselhos e receitas bacanas que já faziam sucesso *on-line*.

Percebam a conveniência desse acontecimento. Se por um infortúnio alguém deu uma escorregada e perdeu ou esqueceu alguma das dicas básicas publicadas no *site* – alegria, alegria –, poderá buscar o que está precisando nas páginas do *Pequeno livro de cozinha*. E para o iniciante, dando seus primeiros passos ainda inseguros e bamboleantes no espaço real da cozinha e que ainda não sentiu firmeza para caminhar sozinho, este livro de consulta será uma bússola, que deve ficar ao alcance das mãos para ser folheado sempre que necessário.

Faby e Katita prepararam um guia completo, que inclui dicas para o espaço físico da cozinha, como equipá-la com eletrodomésticos e todos os utensílios, louças e acessórios, a manutenção, os serviços, economia doméstica, ecologia, técnicas culinárias, compras, cardápios e uma lista de receitas infalíveis.

Se a cozinha já era o lugar mais aconchegante e interessante da casa, agora vai ficar muito melhor!

Fernanda Guimarães Rosa,
autora do *blog* Chucrute com Salsicha
(www.chucrutecomsalsicha.com)

INTRODUÇÃO

Depois de quase quatro anos escrevendo diariamente nossas receitas e nossos delírios de donas de casa no *blog* Rainhas do Lar, partimos para a gratificante missão de registrar nossas experiências no volume Cozinha da coleção Pequeno Livro, da Verus Editora, que tão gentilmente nos confiou essa deliciosa missão.

A ideia foi apresentar a cozinha aos curiosos e recém-chegados, de forma clara e simples, sem maiores mistérios, truques ou receitas mirabolantes. Procuramos listar aqui o que consideramos essencial para o bom desempenho na cozinha, desde normas básicas de arrumação e higiene até questões para nós fundamentais e indissociáveis, como economia doméstica, responsabilidade ecológica e beleza à mesa – passando, obviamente, por um cardápio de receitas simples, gostosas e principalmente versáteis, que é a fresta que abrimos para sua criatividade. Você será incitado a criar novas versões a partir das nossas receitas básicas, e verá que a criatividade não tem limites e que não existe receita que não possa ser reinventada.

Somos cozinheiras formadas por mãe e avó, e acreditamos na intuição como ingrediente fundamental, portanto, embora apresentemos as receitas em formato didático, não espere encontrar medidas em gramas, pois nem sequer possuímos balança.

Aceite nossas sugestões, mas não se prenda a elas. Experimente, toque, cheire, erre, discorde, acrescente, elimine, agrade seu paladar! E quem sabe você possa descobrir o que nós mesmas descobrimos desde a infância – que a cozinha é o melhor cômodo da casa.

Boa leitura!

1

A COZINHA: AMBIENTE E APARATO

O ato de cozinhar requer um ambiente propício e um aparato de utensílios e equipamentos que varia de acordo com o estilo de vida, os recursos financeiros e os hábitos alimentares de cada família.

Por ambiente propício, entende-se uma cozinha preferencialmente clara, arejada, com boa circulação entre fogão, geladeira e pia, que possua uma base de apoio (balcão ou mesa) e armários projetados sob medida ou comprados prontos, de acordo com os hábitos e a estrutura familiar. Obviamente, nem sempre é possível dispor da condição ideal, mas o que puder ser feito no sentido de se aproximar dessa condição certamente já vai facilitar sua vida.

É importante também atentar para os pontos de eletricidade necessários à utilização de eletrodomésticos e para uma boa iluminação artificial de reforço nas áreas de trabalho – para o caso de a luz natural não ser suficiente e ainda para o desenvolvimento de atividades à noite.

Teto, paredes e pisos claros refletem mais luz e são mais indicados para a cozinha, proporcionando melhor visibilidade e reduzindo riscos de contaminação e impurezas nos alimentos. Pisos antiderrapantes também são indicados. Quanto mais lisas as superfícies, menor a possibilidade de impurezas escondidas em qualquer reentrância.

Sobre a escolha de utensílios e equipamentos, panelas que descascam podem causar problemas à saúde, cabos folgados podem causar acidentes, eletrodomésticos mais baratos podem consumir mais energia elétrica. Portanto, na hora de montar sua cozinha, compre o básico, mas invista em boas marcas, principalmente de panelas, facas, talheres e eletrodomésticos – e lembre-se: na cozinha, o barato sai caro.

Uma boa arrumação desse arsenal pode facilitar bastante sua vida, e a escolha do mobiliário depende da quantidade de itens a ser armazenados. Se o espaço é pequeno, lance mão do pé-direito e instale armários de parede. Agrupe para arrumar: louças, vasilhas plásticas, refratários, copos, panelas, gavetas para talheres e panos, cada um no seu compartimento, sendo que os utensílios utilizados com mais frequência devem ficar mais à mão.

Eletrodomésticos como batedeira, liquidificador e mixer devem ficar, quando possível, sobre o balcão, no nível da pia. Peças bonitas podem ficar expostas em armários com porta de vidro ou até mesmo em prateleiras.

Suportes de parede para pendurar utensílios, além de otimizar o espaço, podem proporcionar um bom efeito visual. Da mesma forma, se houver lugar, porta-utensílios podem ser dispostos sobre o balcão, facilitando o acesso a colheres de pau, por exemplo, ao mesmo tempo em que enfeitam o ambiente.

É importante lembrar que se trata de uma cozinha, e cozinhas "blindadas" tendem a deixar o ambiente muito frio e impessoal. Já os locais para acondicionamento de mantimentos devem ser fechados, para evitar a entrada de insetos.

Passemos agora aos itens que compõem o arsenal da cozinha.

Eletrodomésticos

Prefira marcas que tenham credibilidade e esteja atento ao consumo de energia. É como já falamos – o mais barato pode sair muito caro.

Uma cozinha pode funcionar bem apenas com um fogão, uma geladeira com congelador e um liquidificador. Num segundo momento, a depender das prioridades estabelecidas pelos hábitos familiares, podem vir a batedeira, o micro-ondas, a cafeteira elétrica, o processador ou mixer, a torradeira ou sanduicheira, o grill e o espremedor de laranjas, porém no passado grande parte dos serviços prestados por esses eletrodomésticos era feita pelas mãos de nossas adoráveis vovozinhas, e sempre deu tudo certo, não é verdade? Afinal,

para cada um desses equipamentos existe uma solução manual – o bolo pode ser batido à mão, as claras em neve também, o café pode ser coado, o sanduíche pode ser feito na chapa, o suco de laranja espremido à mão, e assim por diante. É só se lembrar dos métodos da vovó.

Obviamente, o ritmo a nós imposto pela vida moderna é outro, e não dispomos mais do mesmo tempo e da energia da vovó, daí a "necessidade" de aquisição de alguns desses equipamentos. No entanto, é necessário que o consumo de eletrodomésticos venha atender a reais necessidades, e não aos apelos da mídia! Isso sem falar no gasto com energia e na responsabilidade ecológica de cada um de nós.

Panelas e afins

Para encostar a barriga no fogão sem medo de ser feliz, são mais que suficientes:

- ✓ uma boa frigideira;
- ✓ uma boa caçarola;
- ✓ duas ou três panelas comuns;
- ✓ chaleira;
- ✓ panela de pressão;
- ✓ cuscuzeiro;
- ✓ caldeirão;
- ✓ chapa;
- ✓ jogo de assadeiras de tamanhos e formas diferentes (incluindo a de bolo, com buraco no meio).

Utensílios de ofício

São as ferramentas utilizadas no preparo dos alimentos, para descascar, cortar, dar diversas texturas, escorrer, abrir, mexer, enfim... utensílios fundamentais para o fazer culinário. O mercado oferece, também nesse caso, um sem-fim de utensílios que prometem nos poupar de todo e qualquer incômodo. Por isso, mais uma vez convidamos você ao exercício da racionalização, com vistas a evitar os supérfluos que acabam virando tranqueiras inúteis, ocupando espaço, se transformando em lixo e comprometendo o orçamento.

Sua cozinha pode funcionar muito bem com os seguintes utensílios:

- ✓ faca grande para carnes;
- ✓ faca para legumes;
- ✓ faca de serra para pão;
- ✓ tábua de corte;
- ✓ colher de pau ou silicone – no caso da colher de madeira, uma para doces e outra para salgados, para não mis-

turar os cheiros e sabores que se concentram na madeira, por sua porosidade;

- ✓ concha;
- ✓ escumadeira;
- ✓ espátula ou pão-duro;
- ✓ fatiador de queijos;
- ✓ abridor de latas;
- ✓ ralador grande;
- ✓ ralador de mesa;
- ✓ espremedor de batatas;
- ✓ saca-rolhas;
- ✓ moedor de pimenta;
- ✓ almofariz ou pilão;
- ✓ amolador de facas;
- ✓ tesoura para abrir embalagens;
- ✓ pincel de silicone para untar formas;
- ✓ pelo menos duas peneiras;
- ✓ escorredor de massas;
- ✓ pelo menos duas bacias plásticas para higienização de vegetais.

Acessórios

Existem para facilitar a vida e dar suporte às atividades desenvolvidas na cozinha. Uma boa lista básica seria:

- ✓ escorredor de louça;
- ✓ suporte para filme plástico, papel-alumínio e papel-toalha;
- ✓ ganchos para pano de prato, luva e avental;
- ✓ saleiro;
- ✓ açucareiro;
- ✓ porta-condimentos;
- ✓ recipientes plásticos com tampa, de diversos tamanhos, para acondicionamento de alimentos na geladeira e no congelador;
- ✓ suporte para detergente, bucha e sabão;
- ✓ desentupidor de fogão;
- ✓ descansos de panela;
- ✓ formas de gelo;
- ✓ fruteira;

- ✓ jogo de porta-mantimentos;
- ✓ filtro de água;
- ✓ lata de lixo;
- ✓ jogos americanos;
- ✓ garrafa térmica;
- ✓ porta-guardanapos;
- ✓ porta-pães.

Louça, vidro e cerâmica

Estes utensílios estão mais relacionados ao serviço de mesa, ou seja, são os suportes para apresentação e consumo dos alimentos.

Listamos como básicos:

- ✓ pratos rasos, fundos e de sobremesa;
- ✓ xícaras de chá e de café com pires;
- ✓ copos para água, suco e demais bebidas, de acordo com os hábitos de cada família;

- ✓ dois ou três refratários de cerâmica de tamanhos diversos;
- ✓ duas ou três travessas de diferentes tamanhos;
- ✓ pelo menos duas garrafas para água gelada;
- ✓ taças de sobremesa;
- ✓ jarra para suco;
- ✓ saladeira e sopeira (opcionais).

As quantidades variam de acordo com a estrutura familiar e os hábitos que determinam a frequência e o número de visitantes.

Talheres de mesa

O legal é que hoje em dia os talheres são vendidos avulsos, e você pode comprar apenas o que precisa, podendo ir aumentando seu acervo aos poucos. A lista básica de talheres de mesa deve incluir:

- ✓ garfos grandes e de sobremesa;

- ✓ facas grandes e de sobremesa;
- ✓ colheres de sopa, sobremesa, chá e café;
- ✓ faca de serra para pão;
- ✓ concha;
- ✓ colheres grandes para servir.

Roupa de cozinha

O ideal é que os panos de prato ou copa sejam trocados todos os dias, o que significa que é bacana ter, pelo menos, sete deles. Além disso, para quem tem o hábito de cobrir a mesa, é preciso ter pelo menos duas toalhas para o dia a dia e uma toalha de festa.

2 BOAS PRÁTICAS NA COZINHA

Boas práticas na cozinha são uma série de cuidados que devem ser tomados tanto para garantir a higienização adequada dos alimentos (afastando o risco de contaminações) quanto para evitar acidentes domésticos. E, como não dá para pensar em higienização de alimentos sem higienização da cozinha, vamos antes falar um bocadinho sobre a limpeza desse ambiente e de suas superfícies, geladeira, fogão e utensílios, combinado?

Limpeza da cozinha

Começamos este livro falando sobre a condição física ideal da cozinha, e mencionamos a importância de superfícies claras e lisas para distinguir impurezas e evitar seu acúmulo, além do piso antiderrapante para a segurança da família.

O bacana é evitar que a sujeira se acumule na cozinha. Evitar que impurezas caiam na panela porque a luminária de teto já passou da hora de ser limpa; e não chegar ao ponto de perceber que sua cozinha não tem a mesma luz porque as vidraças nunca mais foram lavadas. Então, sistematizar um bocadinho é importante, e uma bela faxina preventiva quinzenal, incluindo lavagem de vidraças e limpeza de luminárias, é uma boa frequência.

A geladeira: quando a geladeira é bem higienizada, pelo menos uma vez por semana, e os alimentos ali acondicionados estão sempre devidamente tampados ou cobertos por filme plástico, dificilmente ela apresenta cheiro ruim.

- ✓ Leve os alimentos para a geladeira somente depois de limpos e protegidos (as baixas temperaturas "queimam" e oxidam alimentos e bebidas).
- ✓ Frios, embutidos e queijos fatiados devem ser retirados da embalagem original e acondicionados cada um deles em uma vasilha plástica com tampa, para evitar a contaminação cruzada.
- ✓ Conserve as garrafas de água tampadas para que não absorvam odores.
- ✓ Setorize os alimentos da seguinte forma:

- o congelador é a parte mais fria da geladeira e, quanto mais próximo dele, mais baixa a temperatura, portanto as folhas que queimam no frio devem ficar na gaveta inferior, com os demais legumes;
- na prateleira acima da gaveta, as frutas;
- nas intermediárias, sobras de comida em vasilhas com tampa;
- na prateleira superior, portanto mais próxima do congelador, os alimentos mais perecíveis, como queijos, frios, embutidos, iogurtes e leite;
- na porta devem ficar ovos, molhos, garrafas de água, sucos, refrigerantes e afins;
- e, finalmente, no congelador, carnes, aves, peixes e demais congelados.

✓ Lembre-se de que não se devem cobrir as prateleiras para não bloquear o ar frio, que faz o movimento de baixo para cima dentro da geladeira. Uma geladeira limpa e bem arrumada dá gosto de ver.

O fogão: a limpeza do fogão vai depender muito do ritmo de sua cozinha e do que vai em sua panela. Se a família tem o hábito de consumir frituras, por exemplo, vai ter muito mais trabalho para deixar não apenas o fogão, mas a cozinha sempre limpa. O ideal é que o fogão seja limpo sempre após o uso, com pano úmido apenas, com a ajuda de um produto desengordurante, ou até mesmo com bucha e sabão, a depender do nível de sujeira. Como fogo e água nunca se deram muito bem, todo cuidado é pouco para evitar que a água penetre pelos canais por onde passa o gás até chegar aos queimadores, o que dá uma dor de cabeça danada. O ideal é retirar os queimadores para lavá-los na pia, desentupindo-os após secos com o utensílio específico, que possui uma espécie de arame na ponta. Para limpar a base e o forno, é recomendável vedar as saídas de gás com papel ou pedaços de pano.

Eletrodomésticos, garrafas e filtros de água: devem ser limpos semanalmente. No caso de tampas e copos de liquidificador, tampas de garrafas d'água e jarras, peneiras e escorredores plásticos, por exemplo, que costumam juntar muitas impurezas nas reentrâncias e escurecem facilmente, é recomendável deixá-los de molho numa solução de sabão em pó e água sanitária, para depois enxaguá-los muito bem em água corrente abundante. Fique atento também à limpeza constante de borrachas vedantes (como a da panela de pressão) e roscas de garrafa térmica, capazes de acumular muitas impurezas.

Luminárias de teto, janelas e basculantes, tapetes e cortinas: a limpeza pode ser bimestral, mensal ou quinzenal. Isso também vai depender da dinâmica da sua cozinha e da incidência de poeira no ambiente.

A pia: quanto menor a quantidade de resíduos que vai para a pia, menores também as chances de entupir a tubulação, afinal a limpeza da cozinha não se encerra apenas nas partes visíveis, mas se prolonga tubulação adentro. Por isso, raspe eventuais sobras de alimentos dos pratos e descasque frutas e legumes sobre uma peneira, para depois descartá-las diretamente no lixo orgânico. E, por falar em tubulação, verifique de vez em quando a situação do sifão da sua pia, pois, como ali se acumulam gordura e resíduos, ele também deve ser limpo, ou até mesmo trocado, com certa frequência.

As latas de lixo: o lixo será abordado com a devida atenção adiante, no capítulo "Cozinha ecológica", mas não podemos deixar de mencioná-

-lo aqui, quando tratamos da limpeza da cozinha. Lembramos a importância de lavar as latas de lixo diariamente, secá-las e forrá-las com sacos apropriados. Evite ao máximo colocar lixo molhado nos sacos, escorrendo-o bem antes de descartá-lo, pois o acúmulo de água, além de deixar rastros quando se transporta o lixo, atrai insetos com muita facilidade.

Desinsetização: boas práticas de higiene afastam insetos, mas nunca estaremos totalmente livres deles, que podem chegar pela janela ou pela tubulação a qualquer momento. Assim, tenha sempre em casa aquelas iscas para baratas no formato de caixinhas discretamente espalhadas em locais estratégicos, como próximo a ralos ou embaixo da pia. A depender da incidência de insetos na sua casa, agende eventuais desinsetizações profissionais.

Higienização de alimentos

A higienização dos alimentos deve ser feita imediatamente após a chegada das compras. Dessa forma, eles já são acondicionados na geladeira devidamente limpos e prontos para uso.

Frutas e legumes devem ser lavados sob água corrente e depois imersos numa solução de água e cloro (na proporção recomendada na embalagem) por dez minutos. Nessa hora, é recomendável usar uma escovinha para garantir a boa higienização nas reentrâncias dos vegetais. Depois, escorrem-se, lavam-se de novo em água corrente abundante e deixa-se que sequem por completo, para só então acondicioná-los na geladeira.

As verduras obedecem ao mesmo processo de higienização, mas por ser mais frágeis não devem ser expostas ao calor para secar, sob pena de murcharem. Uma dica para conservá-las por mais tempo na geladeira é guardá-las, depois de secas, em vasilhas plásticas com tampa forradas com papel-toalha, que ajuda a absorver resquícios de água e a conservar as folhas por mais tempo.

Quando sobrar um pedaço de cebola, tomate ou pimentão, que não foi todo utilizado na receita, não é recomendável guardá-los no mesmo recipiente, pois cada um tem uma vida útil diferente, assim pode haver contaminação cruzada entre eles.

Outras dicas bacanas

- ✓ Caso não tenha tábuas de corte específicas para cada alimento (para vegetais, carnes vermelhas, embutidos, laticínios, aves e frutos do mar), lave-as sempre que for cortar alimentos diferentes, para evitar a contaminação cruzada. Deixe-as secar ao sol e esteja atento ao momento certo de trocá-las, quando começarem a apresentar fissuras, que podem acumular impurezas.
- ✓ Evite o contato de produtos químicos, especialmente os de limpeza, com os alimentos, portanto mantenha o detergente a distância.
- ✓ Troque a bucha de lavar louça quinzenalmente.
- ✓ Troque o pano de prato diariamente.
- ✓ Fique atento ao cabo das panelas ao lume, que nunca deve apontar para fora do fogão, evitando que alguém esbarre nele e cause acidentes. É importante também que o cabo esteja sempre firme e bem parafusado.

3

ECONOMIA DOMÉSTICA

Uma pessoa antenada com seu tempo não pode deixar de pensar com carinho neste assunto – economia doméstica. Além das reflexões sobre o consumo em sua casa, extremamente necessárias para quem deseja estar alinhado com o que o mundo necessita hoje em dia, é preciso também começar a pôr em prática pequenas mudanças ou adaptações em sua rotina.

Conceitos muitas vezes básicos, mas que passam despercebidos em nosso dia a dia, podem ser aplicados a nosso favor. Isso, aliado à introdução de uma teoria tão importante quanto desconhecida da maioria das pessoas – a dos três Rs (reduzir, reutilizar e reciclar) –, pode trazer uma melhoria significativa na qualidade de vida de sua família e consequentemente do mundo. E não é exatamente isso que queremos?

A teoria dos três Rs é composta por três princípios – reduzir, reutilizar e reciclar – e tem por objetivo diminuir o desperdício e melhorar ao máximo o aproveitamento de materiais, contribuindo assim para a preservação dos recursos naturais.

- ✓ Reduzir o consumo.
- ✓ Reutilizar quando não é possível reduzir.
- ✓ Reciclar quando não é possível reduzir nem reutilizar.

E não dá para falar em economia doméstica sem tocar em um ponto crucial e tão conhecido de nós: as compras!

Para começar, é necessário refletir sobre o impacto do *marketing* em nossas compras. Apesar de parecer um conceito distante quando se vai comprar um pacote de arroz, é preciso saber que o *marketing* está presente em cada detalhe do produto – que vai desde a cor e o aroma, passando pela escolha da embalagem e por inúmeros outros detalhes, até chegar ao seu carrinho de compras. O *marketing*, na essência, existe para adaptar produtos às necessidades dos consumidores e, na inexistência dessas necessidades, criar novas. Por isso é indispensável, antes de mais nada, o consumo consciente.

O assunto é tão extenso que ele sozinho já renderia um livro, porém listamos alguns passos fundamentais que podem ajudar a promover as pequenas mudanças de comportamento que propomos neste capítulo.

Planeje seu cardápio

Uma boa maneira de economizar nas compras de casa é planejar o cardápio de sua família considerando as safras dos hortifrútis. Considere também fazer alterações nos ingredientes das receitas, levando em conta o melhor período de compra. E lembre-se sempre de que produtos na entressafra custam mais caro – comprar morangos em janeiro, por exemplo, não é uma boa opção, então por que não trocar a torta de morango de domingo por uma deliciosa sobremesa com abacaxi?

Use a tabela nacional de safras como base para suas compras (veja a seguir), mas não se esqueça de que ela pode sofrer pequenas alterações em função de mudanças climáticas e do aumento ou diminuição na produção em diferentes regiões. Na dúvida, informe-se na feira, no hortifrúti ou no supermercado sobre as melhores ofertas de frutas, verduras e legumes e pense seu cardápio com base nessas informações.

Legenda

Início de safra	>
Safra	O
Fim de safra	X
Entressafra	-

Frutas nacionais

Produtos	Jan	Fev	Mar	Abr	Mai	Jun	Jul	Ago	Set	Out	Nov	Dez
Abacate	>	O	O	O	O	O	O	X	X	-	-	-
Abacaxi-Havaí	O	O	O	X	-	-	-	-	-	-	-	>
Abacaxi-Pérola	-	-	-	-	>	O	O	O	O	O	O	X
Ameixa	O	X	-	-	-	-	-	-	-	>	O	O
Banana-Maçã	>	O	O	O	O	O	X	-	-	-	-	>
Banana-Nanica	-	-	>	O	O	O	O	O	O	O	X	-
Banana-Prata	-	-	>	O	O	O	O	O	O	O	X	-
Caju	>	O	X	-	>	O	O	O	O	O	X	-
Caqui	-	>	O	O	X	-	-	-	-	-	-	-
Figo	O	O	O	O	X	-	-	-	-	-	>	>

Produtos	Jan	Fev	Mar	Abr	Mai	Jun	Jul	Ago	Set	Out	Nov	Dez
Fruta-do-Conde	>	O	O	X	-	-	-	-	-	-	-	-
Goiaba	O	O	O	X	-	-	-	-	>	>	O	O
Jabuticaba	-	-	-	-	-	-	-	>	O	O	X	-
Laranja	X	-	-	>	O	O	O	O	O	O	O	X
Limão	>	O	O	O	O	O	O	X	X	-	-	-
Mamão	-	-	>	O	O	O	X	X	>	O	O	X
Mamão-Havaí	O	O	O	O	O	O	O	O	O	X	-	>
Manga	O	X	-	-	-	-	-	-	>	O	O	O
Maracujá-Azedo	O	O	O	X	X	-	-	-	-	-	>	O
Maracujá-Doce	O	O	X	X	-	-	-	-	-	-	-	>
Melancia	O	X	X	-	-	-	-	>	>	O	O	O

Produtos	Jan	Fev	Mar	Abr	Mai	Jun	Jul	Ago	Set	Out	Nov	Dez
Melão	>	>	O	O	O	O	O	O	O	O	X	X
Morango	-	-	-	-	>	O	O	O	O	X	-	-
Nectarina	X	-	-	-	-	-	-	-	-	>	O	O
Nêspera	-	-	-	-	-	-	-	>	O	O	O	X
Pêssego	X	X	-	-	-	-	-	-	-	>	O	O
Tangerina-Cravo	-	>	>	O	O	X	X	-	-	-	-	-
Tangerina-Murcote	-	-	-	-	-	>	O	O	O	X	-	-
Tangerina-Poncã	-	-	>	O	O	O	O	X	-	-	-	-
Uva-Itália	O	O	O	O	X	X	-	-	-	-	-	>
Uva-Niágara	O	O	X	X	-	-	-	-	-	-	-	>

Frutas importadas

Produtos	Jan	Fev	Mar	Abr	Mai	Jun	Jul	Ago	Set	Out	Nov	Dez
Ameixa	O	O	O	X	-	-	-	-	-	-	-	>
Cereja	X	-	-	-	-	-	-	-	-	-	-	O
Maçã	-	-	>	O	O	O	O	O	O	O	X	X
Pera	-	>	O	O	O	O	O	O	X	X	X	-
Uva	-	>	>	O	O	O	O	X	X	-	-	-

Verduras

Produtos	Jan	Fev	Mar	Abr	Mai	Jun	Jul	Ago	Set	Out	Nov	Dez
Acelga	-	-	-	>	O	O	O	O	O	O	O	X
Agrião	-	-	-	>	O	O	O	O	O	O	O	X
Alface	X	-	-	>	O	O	O	O	O	O	O	O
Alho-Poró	X	X	-	-	>	O	O	O	O	O	O	O
Almeirão	X	-	-	>	O	O	O	O	O	O	O	O
Aspargo	O	O	O	X	-	-	-	-	-	>	O	O
Brócolis	X	-	-	-	>	O	O	O	O	O	O	X
Catalonha	X	-	-	>	O	O	O	O	O	O	O	O
Cebolinha	>	O	O	O	X	-	-	-	>	O	O	O
Chicória	X	-	-	-	>	O	O	O	O	O	O	O

Produtos	Jan	Fev	Mar	Abr	Mai	Jun	Jul	Ago	Set	Out	Nov	Dez
Coentro	-	-	-	>	O	O	X	-	>	O	O	X
Couve	O	X	-	-	-	>	O	O	O	O	O	O
Couve-Flor	-	-	-	-	-	>	O	O	O	O	X	-
Erva-Doce	X	-	-	-	>	O	O	O	O	O	O	X
Escarola	O	X	-	-	>	O	O	O	O	X	>	O
Espinafre	X	-	-	-	>	O	O	O	O	O	O	O
Gobô	>	O	O	O	O	O	X	-	-	-	-	-
Louro	>	O	O	O	O	O	O	O	O	O	O	X
Mostarda	X	-	-	-	-	>	O	O	O	O	O	O
Moyashi	O	O	O	O	O	O	O	X	-	-	-	>
Nabo	X	-	-	>	O	O	O	O	O	O	O	O

Produtos	Jan	Fev	Mar	Abr	Mai	Jun	Jul	Ago	Set	Out	Nov	Dez
Rabanete	-	-	-	>	>	O	O	X	>	O	O	X
Repolho	O	O	X	-	-	-	-	>	O	O	O	O
Rúcula	X	-	-	>	O	X	-	>	O	O	O	O
Salsa	X	-	-	>	O	O	O	O	O	O	O	O
Salsão	O	X	-	>	O	X	-	>	O	O	O	O

Legumes

Produtos	Jan	Fev	Mar	Abr	Mai	Jun	Jul	Ago	Set	Out	Nov	Dez
Abóbora-Japonesa	O	O	X	-	-	O	O	-	-	-	>	O
Abóbora-Moranga	O	O	X	-	>	O	O	O	X	-	-	>
Abóbora-Seca	O	O	O	O	O	O	O	X	-	>	O	O
Abobrinha Brasileira	O	O	X	-	-	-	-	-	-	>	O	O
Abobrinha Italiana	O	O	O	O	X	-	-	-	>	O	O	O
Alcachofra	-	-	-	-	>	O	O	O	O	O	O	X
Batata-Doce	O	O	O	O	O	O	X	-	-	>	>	O
Beringela	-	>	O	O	O	X	>	O	O	O	X	-
Beterraba	O	X	-	-	-	-	-	>	O	O	O	O
Cará	>	O	O	O	O	O	O	O	O	X	-	-

Produtos	Jan	Fev	Mar	Abr	Mai	Jun	Jul	Ago	Set	Out	Nov	Dez
Cenoura	O	X	-	-	>	O	O	O	O	O	O	O
Chuchu	X	-	>	O	O	X	-	-	>	O	O	O
Cogumelo	O	X	-	>	O	O	X	-	>	O	O	O
Gengibre	-	-	>	O	O	O	O	O	O	X	-	-
Inhame	-	>	O	O	O	O	O	O	O	O	O	X
Jiló	O	X	-	-	-	-	-	>	O	O	O	O
Mandioca	-	>	O	O	O	O	X	X	-	-	-	-
Mandioquinha	O	X	-	-	-	-	-	>	O	O	O	O
Maxixe	O	O	O	X	-	-	-	-	-	>	O	O
Pepino	O	O	O	X	-	-	-	-	>	O	O	O
Pimenta	O	O	X	-	-	-	-	-	>	O	O	O

Produtos	Jan	Fev	Mar	Abr	Mai	Jun	Jul	Ago	Set	Out	Nov	Dez
Pimentão	O	O	X	-	-	-	-	-	>	O	O	O
Quiabo	O	O	O	O	X	-	-	-	-	>	O	O
Tomate	O	X	-	-	>	O	X	-	>	O	O	O
Vagem-Macarrão	O	X	-	-	-	-	-	>	>	O	O	O
Vagem-Manteiga	O	X	-	-	-	-	-	>	>	O	O	O

Não saia para fazer compras sem uma lista

Um item crucial quando se fala em economia doméstica é elaborar a lista de compras. Acredite, uma lista de compras bem-feita resulta em dupla economia – de dinheiro (focando-se na lista, a chance de você comprar o que não precisa é muito menor) e de tempo (quanto mais você circular pelo supermercado, mais propenso estará a comprar por impulso).

Por isso, dedique um tempo à elaboração da lista – verifique despensa, armários e geladeira (conferindo principalmente a validade do que você ainda tem em casa) e liste o que precisa comprar em ordem de prioridade, que pode ser classificada assim:

1) Alimentos: aqueles que estão em seu cardápio semanal ou mensal, sem esquecer de incluir a quantidade de cada item.

2) Produtos básicos: material de higiene pessoal e limpeza.

3) Média necessidade: produtos que podem ficar fora do carrinho se seu orçamento estiver apertado.

4) Desnecessários: aqueles que você vai comprar apenas se já tiver incluído no carrinho os itens 1, 2 e 3 da lista e ainda assim estiver com sobra no orçamento.

Não vá ao supermercado com fome

É até meio óbvio, mas não custa nada relembrar essa regrinha. A fome vai fazer você comprar toda sorte de guloseimas que talvez nem estejam na sua lista. Aliás, a fome vai fazer você se esquecer completamente da lista.

Não faça compras com pressa

Se sua intenção é fazer uma compra grande, reserve um bom tempo para isso. Se o tempo estiver apertado, você não vai conseguir checar com atenção as promoções – e a correria é um dos motivos para compras sem critério.

Cuidado com as armadilhas dos supermercados

Profissionais de *marketing* e propaganda dedicam a vida a criar artimanhas para que você compre o que não precisa.

Você já notou que supermercados não têm relógios nem janelas? Não se engane, a intenção é a mais óbvia – que você fique o maior tempo possível dentro da loja.

Já reparou também que os gêneros de primeira necessidade estão sempre inexplicavelmente nas áreas mais afastadas? Eles querem que você circule, pois as pesquisas mostram que, quanto mais tempo o cliente ficar ali, maior a probabilidade de comprar por impulso e não por necessidade.

Outra tática muito utilizada (isso mesmo, marqueteiros utilizam táticas – é uma verdadeira guerrilha!) é a do *cross-selling* (venda cruzada), em que um produto de primeira necessidade fica cercado de produtos não tão necessários, mas inevitavelmente associados a ele. Por exemplo, perto do macarrão tem sempre o queijo ralado, perto das cervejas estão sempre os salgadinhos, e assim por diante – talvez você nem precise dos complementos, mas já que eles estão ali...

A disposição dos produtos nas prateleiras também é friamente calculada – os produtos mais caros ficam na linha dos olhos, os mais baratos na parte de baixo e os pouco rentáveis na parte de cima, onde é difícil alcançar.

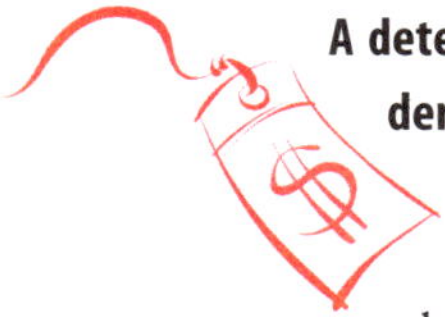

A determinação dos preços também considera o efeito psicológico – não pense que por uma incrível coincidência do destino a grande maioria dos preços termina em valores quebrados (frequentemente 99 centavos). Isso é feito para confundir o valor real dos produtos.

Antes de comprar qualquer produto, pense na relação custo/benefício. O benefício que determinado produto vai trazer justifica o valor que você vai pagar por ele? Caso não justifique, resista à tentação e não compre, ou você terá apenas mais uma quinquilharia em casa.

A compra de produtos em promoção, principalmente aqueles que você não utiliza com frequência e que serão comprados para estocagem, só se justifica se o desconto for superior a 20% – e isso se aplica apenas a produtos não perecíveis.

Aquele monte de bugigangas penduradas próximo aos caixas é a derradeira tentativa de fazê-lo comprar o que não precisa – você não vai cair nessa tentação, vai? Tem certeza de que você precisa mesmo dessas pilhas? (E, se precisa, por que elas não estavam na lista?)

Tendo essas pequenas dicas em mente no momento das compras, você já vai ajudar o planeta e seu bolso, comprando com consciência e evitando desperdícios.

Seguindo a teoria dos três Rs, agora que já falamos sobre o consumo consciente (reduzir), chegamos aos dois Rs restantes (reutilizar e reciclar), que abordaremos no capítulo a seguir, "Cozinha ecológica".

4

COZINHA ECOLÓGICA

Desperdício zero! Essa é a meta que devemos ter em mente para nossa casa. E que lugar melhor do que a cozinha para começar a pôr isso em prática?

Com esse objetivo, pequenas mudanças podem ser promovidas no dia a dia, principalmente se estivermos dispostos a aplicar à nossa rotina conceitos muito simples e extremamente importantes, como a reutilização e a reciclagem.

Veja algumas atitudes simples que podem ser implementadas na sua cozinha:

Compre apenas o que vai efetivamente consumir (estocagem só funciona para produtos não perecíveis, certo?) e, se possível, compre frutas, legumes e verduras semanalmente – o que ajuda a evitar o desperdício. Prefira produtos sem embalagens de isopor ou plástico.

Ao chegar das compras, dedique atenção especial aos produtos frescos – frutas, verduras e legumes devem ser higienizados e acondicionados em embalagens apropriadas (veja o capítulo 2, "Boas práticas na cozinha"). Lembre-se: produtos mal armazenados têm um destino praticamente certo – o lixo.

Sempre que possível, prefira produtos frescos aos congelados, que requerem consumo maior de energia.

Procure aproveitar os alimentos integralmente. Utilizar o alimento em sua totalidade significa, além de maior aproveitamento nutricional, dar o devido valor aos recursos que foram utilizados para que ele chegasse à sua mesa – água e energia são apenas alguns deles.

Não descarte talos, folhas e cascas!

Desprezá-los significa muitas vezes perder a maior parte dos nutrientes do alimento, então por que não incorporá-los à sua alimentação? Bastam um pouco de criatividade e um olhar mais atento e você pode descobrir novas utilizações para o que geralmente vai para o lixo.

Por exemplo, talos e folhas podem ir para a sopa e para o feijão, virar bolinhos deliciosos, incrementar a farofa. Até mesmo a comida do dia a dia tem muito a ganhar com eles – experimente, por exemplo, enriquecer o arroz com talos de agrião, couve, brócolis ou couve-flor passados no azeite e você terá um prato corriqueiro com sabor especial. Seu paladar e seu bolso agradecem!

BOLINHO DE FOLHAS E TALOS

(talos de couve, agrião, espinafre, brócolis e folhas de cenoura, couve-flor, rabanete, beterraba)

- ✓ 1 cebola picada
- ✓ 2 dentes de alho amassados
- ✓ 3 xícaras (chá) de talos e folhas bem picados (pode-se misturar mais de um tipo)
- ✓ 1 xícara (chá) de leite
- ✓ 4 colheres (sopa) de farinha de trigo
- ✓ Sal e pimenta-do-reino a gosto

- ✓ 1 pitada de noz-moscada
- ✓ 1 punhado de cheiro-verde picado
- ✓ Óleo para refogar e para fritar

Faça um refogado com a cebola, o alho e os talos e folhas de vegetais picados. Depois, acrescente a farinha misturada com o leite e deixe cozinhar mexendo sempre, até formar uma mistura homogênea. Tempere com sal e pimenta e acrescente a noz-moscada. Por fim, junte o cheiro-verde picado.
Leve ao fogo uma panela com óleo para esquentar e, com a ajuda de duas colheres, faça os bolinhos e frite-os no óleo bem quente. Retire-os com uma escumadeira e coloque-os em uma travessa forrada com papel absorvente.

Cascas de frutas podem ser aproveitadas em doces, sucos e chás. Certamente você já provou suco de abacaxi feito com a polpa da fruta, mas sabia que a casca dela rende um delicioso chá?

CHÁ DE CASCA DE ABACAXI

Lave muito bem o abacaxi antes de descascá-lo, depois leve as cascas ao fogo em uma panela com 1 litro de água e açúcar a gosto por 20 minutos. Ao final, acrescente raspas de casca de limão, abafe por alguns minutos, coe e está pronto!

Batatas e abóboras ficam ótimas quando assadas com a casca. Lembre-se apenas de lavá-las muito bem, de preferência com uma escovinha, antes de levá-las ao forno.

BATATAS RÚSTICAS

Lave bem as batatas sem descascá-las, corte-as em quatro partes, coloque-as em uma assadeira antiaderente, acrescente bastante azeite (suficiente para untar todas as batatas), tempere com sal, pimenta-do-reino e ervas à sua escolha (sálvia, tomilho e alecrim ficam ótimos) e mexa bem para que todos os ingredientes sejam incorporados. Cubra a assadeira com papel-alumínio e leve ao forno alto por 30 minutos ou até que as batatas estejam cozidas. Retire o alumínio e retorne ao fogo até dourar.

Sirva como acompanhamento de carnes, aves ou peixes.

Explore novas funções

O que você faz com a água em que cozinhou a beterraba, a cenoura, o chuchu e a abobrinha para aquela salada? Faz caldo de legumes, oras! Basta acrescentar à água do cozimento: 1 bouquet garni, 2 ou 3 cravos, 1 cebola inteira (ou cortada pela metade), sal e pimenta-do-reino, deixar reduzir e *voilà* – caldo de legumes caseiro! Depois de frio, coloque em forminhas de gelo e leve ao freezer. Quando precisar, basta usar os cubinhos de caldo congelados – não é simples? Essa água aromatizada também pode ser utilizada para cozinhar arroz ou mesmo para fazer sopa. E pensar que você ia desprezar essa água cheia de vitaminas, não é mesmo?

E lembre-se: sempre que puder, cozinhe os legumes com casca ou no vapor – essa é a melhor maneira de preservar seus nutrientes.

Bouquet garni é um punhado de ervas frescas, amarradas com barbante ou linha em um maço. Geralmente é feito de tomilho, louro e salsa, mas podem-se usar outras ervas, de acordo com a preferência pessoal ou mesmo com o tipo de prato. A função do bouquet garni é aromatizar e temperar molhos e caldos. Após cumprida sua função, ele deve ser descartado, no final da preparação da receita.

Use a criatividade e invente novos pratos a partir das sobras

O planejamento da quantidade de comida que será preparada é fundamental para que não haja sobras. No entanto, se isso acontecer, não descarte o que sobrou, mas transforme-o em outro prato. Por exemplo:

Sobras de arroz pronto podem se transformar em bolinhos, arroz de forno, canja e até tortas.

Sobras de feijão viram sopa, tutu, feijão-tropeiro, bolinhos, chilli.

Sobras de pão viram torradas, croûtons para a salada, pudim, farinha de rosca.

Sobras de biscoitos viram farofa doce (ótima para acompanhar sorvetes), massa de torta e ingrediente para doces, principalmente pavês.

Sobras de legumes e verduras são perfeitas para sopas, refogados, omeletes, tortas. Uma boa dica é nunca servir a salada temperada – sirva o molho à parte, assim você pode guardar o que não for utilizado e usar novamente, seja em uma nova salada ou em outros pratos.

Carnes e aves podem ser reaproveitadas de várias maneiras. A sobra da carne assada pode ser desfiada e virar um delicioso escondidinho, croque-

tes, ir para a sopa, para a farofa... A sobra do frango assado também pode ter vários destinos – desfiando a carne que restou, você pode fazer recheios de tortas, patês, incrementar a salada ou a sopa ou ainda criar molhos para massas.

Enfim, existem muitas maneiras de reaproveitar os alimentos, e a verdade é que pouca coisa precisa mesmo ser desprezada. Antes de descartar algo, exercite a criatividade e lembre-se sempre: jogar comida fora é uma atitude que precisa ser riscada da vida de qualquer pessoa!

A reutilização, ou reaproveitamento, pode sim se transformar em um hábito. Basta apenas dedicarmos um olhar mais atento para o que consumimos, a quantidade e o modo como consumimos.

Então, nosso convite é: Vamos adotar essa prática agora mesmo em nossa cozinha?

Lembre-se também:

- ✓ **Ao comprar ou substituir eletrodomésticos, prefira aqueles que tenham o selo Procel – Programa Nacional de Conservação de Energia Elétrica.**
- ✓ **Não deixe a geladeira ou o freezer próximos do fogão e mantenha-os afastados pelo menos quinze centímetros da parede. Não se esqueça também de que porta de geladeira aberta consome muito mais energia!**

- Use a máquina de lavar apenas com a capacidade total.
- Use sacolas de compras reutilizáveis (as chamadas eco-bags) e elimine ao máximo o uso das sacolinhas de plástico fornecidas pelo mercado.
- Dê preferência a embalagens com refil e às recicladas.
- Sempre que possível, prefira comprar alimentos produzidos em sua região. Além de ser quase sempre mais baratos, pense na economia da energia que seria gerada no transporte, por exemplo.
- Informe-se sobre os fabricantes, consulte se eles adotam projetos sustentáveis na fabricação de seus produtos, questione, pesquise, faça uso de seus direitos de consumidor e dê preferência às marcas com responsabilidade socioambiental.
- Economize água, utilize o mínimo possível a torneira de água quente e prefira produtos biodegradáveis.
- Invista tempo na educação ambiental de seus filhos e incentive-os, desde pequenos, a ter atitudes ecologicamente corretas.

Reciclar é fundamental!

Nunca é demais relembrar: recicle, recicle e recicle!

Comece separando o lixo de sua casa em orgânico e reciclável.

- ✓ Lixo orgânico é todo resíduo de origem vegetal ou animal, que deve ser separado, acondicionado em sacos plásticos próprios para esse fim e destinado à coleta de lixo comum.
- ✓ Lixo reciclável é todo material que pode ser reutilizado para a fabricação de novos produtos, como papel limpo, metal, vidro e plástico. Esses materiais devem ser separados, preferencialmente por tipo, e designados à coleta seletiva de seu bairro ou condomínio, ou encaminhados a um posto de coleta.

Se sua cidade ou bairro não tem coleta seletiva, informe-se sobre postos de coleta e, na falta deles, cobre essa iniciativa da administração pública.

Recicle o óleo de cozinha usado.

- ✓ Você sabia que um litro de óleo lançado em um rio polui até um milhão de litros de água?
- ✓ Além disso, o descarte do óleo de cozinha usado é considerado um dos vilões do aquecimento global, uma vez que sua decomposição emite metano na atmosfera – um dos principais gases que causam o efeito estufa.
- ✓ Antes de jogar diretamente na pia o óleo que você usou para fritar bolinhos, pesquise se existe em sua região uma empresa ou cooperativa que faça a coleta do óleo de cozinha usado (que pode ser reutilizado na fabricação de graxas, produtos de limpeza e biodiesel, entre outros) e informe-se sobre a melhor maneira de separá-lo e acondicioná-lo.
- ✓ O óleo de cozinha usado também pode ser utilizado na fabricação de sabão caseiro.
- ✓ Não recomendamos reutilizar em uma próxima fritura o óleo já usado.

Finalmente, informe-se sempre sobre atitudes ecológicas que você pode (e deve) incluir em sua vida. O conhecimento é sempre o primeiro passo (a força de vontade vem logo atrás!) e, quanto mais informação você tiver, mais poderá fazer. Esperamos que este pequeno capítulo tenha sido mais um incentivo para que você saia da teoria e caia na prática – agora mesmo!

5 TEMPEROS, ERVAS E ESPECIARIAS

Não é preciso ser chef de cozinha ou um grande especialista para tirar proveito do uso de temperos, ervas e especiarias que, sozinhos ou combinados entre si, transformam qualquer prato simples em uma grande receita. Para se valer desse recurso, basta apenas que você esteja disposto a desvendar a deliciosa alquimia que envolve o uso desses ingredientes.

A fim de ajudá-lo nessa empreitada, listamos alguns de nossos temperos, ervas e especiarias preferidos, com sugestões de uso. Mas lembre-se: o uso desses ingredientes não obedece exatamente a uma regra, e apenas fazendo suas próprias experiências é que você encontrará suas combinações preferidas. Tome nossa lista como sugestão, mas permita-se sempre descobrir novos sabores. Essas descobertas tornarão sua comida mais saborosa, cheirosa e estimulante, e a monotonia nunca mais existirá na sua cozinha, acredite!

Temperos

Alho e cebola: em nossa cozinha, alho e cebola são fundamentais – são, por assim dizer, a base do nosso tempero. Não havendo nenhuma restrição ao seu consumo, o alho e a cebola podem ser usados em praticamente qualquer receita salgada, exceto em pratos de sabores mais delicados, em que principalmente o alho não é indicado.

Apesar de ter sabor acentuado quando crus, depois de cozidos ambos podem se tornar suaves e até virar um ótimo acompanhamento para carnes e churrascos, por exemplo. O alho, quando dourado em óleo ou azeite, fica com sabor ainda mais marcante; já a cebola fica caramelada e levemente adocicada.

ALHO E CEBOLA ASSADOS EM AZEITE

Corte uma cabeça de alho ao meio. Coloque as duas metades em um pedaço de papel-alumínio, cubra com azeite, sal e um punhado de alecrim. Feche o papel-alumínio e leve para assar no forno ou churrasqueira por 30 minutos, ou até que esteja macio. Sirva no seu próximo churrasco, como acompanhamento para a carne, e aguarde os elogios.

Para assar a cebola o procedimento é o mesmo, no entanto não é necessário cortá-la, podendo-se levá-la ao forno inteira, também recoberta com papel-alumínio e temperada com azeite, sal e ervas como alecrim.

Sal: não é por acaso que a maioria das receitas menciona, na lista de ingredientes, "sal a gosto". Trata-se mesmo de uma questão de paladar, mas lembre-se sempre de que uma comidinha um pouco mais insossa pode ser facilmente corrigida, já aquela salgada em excesso...

Vale lembrar ainda que alguns ingredientes, quando agregados à receita, podem fazer com que seja necessário reduzir a quantidade de sal – carnes defumadas, linguiça, bacon, alcaparra, azeitona, molho de soja, queijos como parmesão, entre outros, são ingredientes que já possuem ou acentuam o sal de um prato. O ideal nesses casos é acrescentar pouco sal e, se necessário, corrigir a quantidade ao final do preparo da receita.

O sal tem ainda o poder de ressaltar o açúcar de um prato. Não é à toa que a maioria das receitas de pães e bolos pede uma pitada de sal na massa – um paradoxo e tanto, não?

Pimenta: seca, fresca, picante, doce, em pó, em conserva... Vários são os tipos e formas de uso da pimenta na culinária. Iniciantes na cozinha podem ficar um pouco apreensivos na hora de utilizá-la, mas a verdade é que nem sempre a pimenta torna o prato picante.

Um bom exemplo é a pimenta-rosa (aroeira), cujos grãos têm sabor levemente picante e podem ser usados, em versão ligeiramente triturada, até mesmo em molhos para saladas. Outros exemplos são a pimenta dedo-de-moça, que pode ficar bem suave quando utilizada sem as sementes; a americana, que chega até a ser considerada "doce" e com sabor muito próximo ao do pimentão; e a pimenta biquinho, que pode ser consumida inteira em saladas ou em versão caramelada, como acompanhamento de assados (fica deliciosa!). Também a pimenta-do-reino, tanto a preta quanto a branca, quando usada com moderação, serve para realçar o sabor do prato, e não exatamente para apimentá-lo. Aliás, prefira sempre moê-la na hora, pois fica mais saborosa e aromática do que a versão já comprada em pó.

Para quem não está habituado ao uso de pimentas, a dica é começar aos poucos e pelos tipos mais suaves e ir, gradativamente, explorando os sabores mais picantes, como o da malagueta e o da cumari.

DICA

Ao manipular pimentas, principalmente ao abri-las para retirar as sementes, é importante ter muito cuidado com as mãos. É recomendado o uso de luvas. Caso elas não sejam utilizadas, é preciso lavar muito bem as mãos em água abundante depois de manusear as pimentas e evitar contato com os olhos.

Ervas

Além de cumprirem a missão de agregar sabor, as ervas ainda deixam qualquer prato muito mais bonito e perfumado e, não por acaso, se prestam muito bem à decoração – a finalização com uma erva fresca deixa o prato sempre mais atraente e elegante. Afinal, não é com os olhos que comemos primeiro?

Em geral, não há segredos em sua utilização, mas é sempre bom saber:

- ✓ Ervas frescas têm sabor mais delicado do que as secas. Geralmente uma colher de ervas secas equivale a três colheres das frescas.
- ✓ Adicione ervas frescas à receita apenas no final do preparo, dessa forma elas não perdem sabor, cor e aroma.
- ✓ Para conservar melhor as ervas frescas, guarde-as já lavadas e secas na gaveta de legumes da geladeira, acondicionadas em saco plástico ou pote hermeticamente fechado.
- ✓ Apesar de ser extremamente aromáticas e saborosas, é preciso ter cuidado com algumas ervas, como alecrim, dill e coentro, que, por ter sabor mais acentuado, costumam "roubar" a atenção quando utilizadas na quantidade errada. O mesmo cuidado vale para o uso combinado de várias ervas, a fim de que os sabores não se confundam, mas se tornem harmônicos e na justa medida para a receita.

Manjericão: tem sabor marcante e pode ser encontrado na versão comum (folhas pequenas ou grandes) e na versão roxa. O manjericão é uma erva que nasceu para o tomate, assim como o queijo para a goiabada e o feijão para o arroz – um molho de tomates frescos com manjericão (se possível, fresco) é tão simples e delicado quanto delicioso, e transforma qualquer massa em um prato muito saboroso. Mas ele combina muito bem também com queijos e legumes, é a base do molho pesto, e até simplesmente macerado com azeite extravirgem e servido com pão italiano fica uma delícia.

Manjerona: apesar de o nome ligar a manjerona ao manjericão, ela se parece mais com o orégano (só que com folhas maiores) e é muito boa para temperar carnes e saladas.

Louro: uma folhinha de louro no tempero do feijão faz uma grande diferença! Mas não é apenas ao feijão que essa folha aromática confere sabor – usada em sopas, caldos, molhos e indispensável na marinadade assados, o louro é uma erva que não pode faltar na sua cozinha.

Cheiro-verde: assim chamamos o encontro entre a salsa e a cebolinha, duas ervas muito comuns em nossa culinária. Servem muito bem para qualquer tipo de prato, temperam recheios de tortas, vinagretes e molhos para saladas e são ótimas para decoração.

Tomilho: se você ainda não conhece essa erva, pode procurá-la na próxima ida à feira. O tomilho é uma erva delicada e extremamente aromática, bastante usada pelos franceses e que vai muito bem em refogados de legumes, carnes, ensopados e caldos, e também em receitas à base de ovos – você pode fazer uma omelete muito saborosa agregando um punhado de tomilho à preparação. Há quem diga ainda que um raminho de tomilho dentro do travesseiro afasta os pesadelos – superstições à parte, vale a pena introduzir o uso dessa erva em sua cozinha.

Coentro: facilmente confundido com a salsinha por causa da aparência, o coentro, entretanto, tem perfume muito mais intenso e sabor muito mais marcante do que a salsa, e justamente por isso costuma dividir opiniões – uns amam, outros detestam. Quem curte sai ganhando muito mais, pois a erva faz casamento perfeito com peixes e frutos do mar – quem resiste a uma moqueca coroada com coentro fresquíssimo? Dá para usar também as sementes, que ficam deliciosas quando moídas no pilão e incorporadas ao molho da salada.

Alecrim: assim como o manjericão combina com o tomate, o alecrim combina com a batata – batatas assadas com alecrim e manteiga são um típico exemplo do casamento perfeito entre os dois ingredientes –, mas não somente com ela. Erva bastante aromática, o alecrim é ótimo para temperar carnes fortes, para a marinada de carnes de porco, e seus galhos servem ainda como espetinhos para churrasco, agregando, além do sabor, um perfume fantástico à carne.

Orégano: apesar de ser mais comum na versão seca, a versão fresca – muito mais suave – pode ser utilizada no tempero de sanduíches e saladas. Seja em que versão for, o orégano é indispensável no preparo de pizzas e antepastos e combina muito bem com tomate, beringela e abobrinha.

Sálvia: levemente amarga e muito saborosa, a sálvia faz par perfeito com a manteiga – uma massa deliciosa pode ser feita apenas com algumas folhinhas de sálvia aquecidas na manteiga e agregadas à pasta cozida. A manteiga temperada com sálvia também é ótima para grelhar medalhões ou acompanhar carnes mais pesadas, como a de cordeiro.

Hortelã: nem só de chá vive a hortelã! Ela empresta sabor a saladas, molhos frios para acompanhar assados, tempera lindamente pratos como quibe e rocambole de carne e é indispensável no preparo da cafta – espetinho assado de carne moída. Versátil, essa erva ainda vai bem em alguns tipos de doces – pêssegos com calda de hortelã, por exemplo – e é ótima para decoração, tanto de pratos doces quanto de salgados.

Especiarias

Usadas e cobiçadas desde a Antiguidade, as especiarias conferem sabor e complexidade a pratos aparentemente simples, ressaltam e aguçam outros sabores presentes na receita e, como se não bastasse, ainda trabalham um sentido tão importante na culinária quanto o próprio paladar – o olfato. Quem nunca se rendeu ao aroma de cravo e canela saído de um tacho de doce que atire a primeira pedra!

Cozinhar valendo-se de pitadas de uma ou mais especiarias transforma verdadeiramente sua comida e seu modo de se relacionar com ela. Depois de descobrir os aromas e o incrível poder transformador desses condimentos, pode ser que você de repente se sinta meio bruxa fazendo aquele cozido – e é bem por aí mesmo.

Temperar é sim uma alquimia, e é também a coroação do prazer que envolve o ato de cozinhar. Técnicas de cozinha são ensinadas facilmente, e em dez minutos você pode aprender a cortar legumes à la julienne, mas o seu tempero... Ele não está detalhadinho em um livro – porque é só seu, tem as suas medidas, as suas misturas, é único, e descobri-lo aos poucos, saboreando cada descoberta, é a melhor parte de todo o processo.

Em nossos caldeirões sempre tem:

Gengibre: pouco explorada na culinária brasileira, essa raiz picante tempera muito bem desde uma simples salada até um ensopado de carne. O gengibre pode ser usado cru, ralado, em lâminas finas ou mesmo fatiado. Aparece também na versão em pó, perfeita para marinadas

– use, por exemplo, para temperar bifes e carne de porco. Além de ser saboroso, o gengibre ainda tem várias funções terapêuticas, que podem ser amplamente exploradas no uso em chás e sucos. Experimente incluir um pedaço pequeno de gengibre ao bater o suco de abacaxi ou acrescentar um pouco da raiz fresca ralada ao chá de limão – você vai notar como ele ressalta o sabor das frutas. Use e abuse dessa especiaria quando quiser um prato mais exótico e picante. Tente, por exemplo, caramelar lascas de gengibre junto com o alho e a cebola ao refogar cubos de frango – sairá de cena o frango sem graça do dia a dia e entrará no lugar uma versão muito mais saborosa, valendo-se apenas do acréscimo dessa raiz que, injustamente, costuma aparecer apenas no quentão das festas juninas.

UMA REGRA VALIOSA NO USO DAS ESPECIARIAS

Por ter sabores complexos e acentuados, todas as especiarias devem ser usadas com parcimônia, em pequenas quantidades. Uma especiaria pode dar vida ao prato, mas, se usada na quantidade errada, pode botá-lo a perder.

O prato pode ter aroma e um gosto sutil de canela – o que é ótimo, aguça os sentidos e desperta a curiosidade sobre os sabores da receita – ou pode ter *apenas* gosto de canela, o que definitivamente não é a intenção. A regra portanto é simples: use as especiarias aos poucos.

Açafrão: pode ser encontrado em pó ou em pistilos (estigmas das flores), versão mais saborosa e muito mais cara, o que não é à toa – são necessárias mais de cem mil flores para conseguir um quilo de pistilos! O açafrão é um famoso componente da paella, mas pode ser usado em muitas outras receitas, sempre com cuidado na quantidade, pois seu sabor, assim como sua cor, é intenso.

Cúrcuma: embora também seja conhecido como açafrão-da-terra, o cúrcuma é uma raiz muito mais parecida com o gengibre do que com o açafrão, ligeiramente amarga e mais facilmente encontrada na versão em pó. Muito mais barato que o açafrão, dá para usá-lo em vários pratos do dia a dia – no picadinho, no frango ensopado. E, se você ousar colocá-lo em um refogado de legumes, vai ganhar um prato muito saboroso, bem ao estilo dos ensopados indianos.

Canela: em pó ou em pau, a canela é bem conhecida dos doces, e praticamente não existe festa junina em que ela não esteja presente – arroz-doce, canjica e bolo de milho são alguns dos quitutes aos quais ela empresta sabor. Mas você sabia que a canela também pode temperar carnes? Nas suínas, por exemplo, fica uma delícia! Experimente adicionar uma pitadinha leve de canela ao tempero do lombinho ou ao ensopado de cordeiro – você vai se surpreender com o sabor.

Cardamomo: uma pequena baga cheia de sementinhas aromáticas – assim é o cardamomo, muito utilizado no café árabe e em pratos indianos, mas pouco conhecido dos brasileiros. Podem-se usar as sementes esmagadas no pilão em caldas e doces, mas também ficam deliciosas quando incorporadas a sopas e caldos e até à marinada da carne.

Cominho: dá para encontrá-lo nas versões em grãos e em pó. Combina bastante com carne vermelha – fica ótimo tanto no rocambole de carne moída quanto no ensopado – e pode surpreender seu paladar se você acrescentar uma pitadinha dele ao prato de sopa ou a patês à base de queijo.

Cravo-da-índia: outra especiaria muito mais comum em pratos doces do que em salgados, o cravo pode ser comprado inteiro ou já moído. A versão inteira é mais interessante, até porque, se você moê-lo na hora, o sabor fica muito mais intenso e o aroma também. Além dos tradicionais doces em que ele aparece, use o cravo sem medo em marinadas, chutneys, peixes e ensopados.

Curry: é o nome que se dá a uma mistura tipicamente indiana de ervas e sementes, que leva em sua composição gengibre, pimenta-vermelha, canela, cominho, pimenta-do-reino, cardamomo, cravo, erva-doce, cúrcuma e coentro em grãos, mas que pode ter muitas outras variações. Na Índia, cada família tem sua receita de curry, assim como de garam masala, outra mistura indiana de especiarias e ervas. Com tantos sabores, o curry é bastante versátil e capaz de entrar nas mais diversas preparações de aves, peixes, carnes, legumes e sopas. Acredite, poucas coisas são tão reconfortantes quanto um picadinho de carne com curry – basta acrescentar uma pequena quantidade aos cubos de filé-mignon já dourados em alho e cebola e você terá um prato extremamente aromático e saboroso.

Noz-moscada: indispensável no molho branco, a noz-moscada pode ser encontrada em sementes ou moída. Prefira sempre as sementes, que você deve ralar somente na hora em que for empregá-la na receita. Também combina muito com queijos – fondue de queijo sem noz-moscada não existe! –, em recheios de massas – uma combinação saborosa e simples leva ricota, nozes picadas e noz-moscada ralada – e não pode faltar na sopa de cebola.

Urucum: o forte do urucum, também conhecido como colorau, está na coloração e não tanto no sabor, mas ainda assim ele é ingrediente indispensável de alguns pratos regionais, como a moqueca capixaba. No dia a dia, é ótimo para dar cor aos pratos, como o frango ensopado, que fica muito mais atraente se você adicionar ao seu preparo uma colherzinha de urucum.

Páprica: feita a partir de diferentes espécies de pimentão vermelho, a páprica pode ser encontrada em duas versões, a doce e a picante. Ambas vão muito bem em sopas, carnes e aves e ficam especialmente saborosas em pratos à base de batatas – experimente polvilhar uma pequena quantidade de páprica nas batatas que vão ao forno e elas ganharão cor e sabor.

Agora que você já conhece um pouco mais sobre o incrível mundo dos temperos, ervas e especiarias, não deixe de incluí-los em sua próxima lista de compras. Nós garantimos que sua cozinha nunca mais será a mesma!

6 CARDÁPIOS

Cozinhar tem a ver com prazer – pode se tornar um *hobby* e até (por que não?) uma terapia, e nisso nós acreditamos muito! No entanto, o dia a dia corrido quase sempre pede agilidade e praticidade no preparo das refeições. É pensando nisso que apresentamos as receitas deste capítulo, que partem do princípio fundamental da praticidade – você não vai encontrar nenhuma receita de difícil execução e, garantimos, nenhuma delas vai fazer você desistir de encarar o fogão, pelo contrário! São receitas clássicas e comuns na maioria das mesas brasileiras, como o imbatível feijão com arroz, o pudim de leite, o bolo de vó para comer com café fresquinho...

Nossa intenção é que você tenha em mãos um cardápio rápido e simples, que permite muitas variações e que não vai prender você na cozinha por horas e horas, tempo que você pode usar para desfrutar do momento das refeições com sua família, seus amigos ou mesmo sozinho, afinal comer deve ser uma extensão do prazer de cozinhar.

Nossas receitas também são muito intuitivas, e é com essa ideia em mente que vamos transmiti-las. Nosso convite é que você não tenha medo de reproduzi-las. Aventure-se, ouse e permita-se criar, a partir de nossas sugestões, suas próprias receitas.

Nossa cozinha não segue regras muito rígidas, por isso fique à vontade para fazer as substituições que sua intuição mandar – se você não gosta de pimenta-do-reino, por que não tentar a pimenta-calabresa ou a dedo-de-moça? Prefere coentro a salsinha? Sem problemas! Adapte as receitas ao seu paladar, substitua ou inclua seus ingredientes preferidos e, o principal, nunca tenha medo de errar! Afinal, só não erra quem não tenta, certo? E "quem não arrisca não petisca".

O arroz nosso de cada dia

O arrozinho nosso de cada dia normalmente é do tipo agulhinha ou parboilizado. O primeiro é mais indicado para a receita básica de arroz branco, e o segundo, para os dias em que você pretende dar uma incrementada no arroz, misturando outros ingredientes, pois ele não espatifa tão facilmente quanto o agulhinha quando manipulado.

Preliminares

É muito importante que o arroz agulhinha seja muito bem lavado e escorrido, até que todo o amido seja eliminado. Essa prática, juntamente com outros cuidados, garante que o arroz fique soltinho, portanto coloque-o de molho numa bacia d'água, vá esfregando com as mãos, trocando a água, e depois escorra sob água corrente, até que o líquido que sai do arroz esteja transparente e não mais esbranquiçado. Outro detalhe importante para garantir que o arroz fique soltinho é deixá-lo secar bem depois de lavado. Para tanto, deixe-o num escorredor ao sol ou em lugar fresco e vá sacudindo de vez em quando, para garantir uma secagem homogênea. O arroz parboilizado não precisa ser lavado.

Mais uma dica importante é usar água fervente para o cozimento, e não água fria. Quando já recebe a água quente, o grão tende a cozinhar apenas o suficiente, sem espatifar. Quando usamos água fria, o arroz tem que ficar muito mais tempo no fogão (o tempo de esquentar, ferver e secar a água), o que aumenta a exposição do grão ao cozimento, deixando-o mais mole e propenso a empapar e espatifar.

Por fim, outra dica preciosa: nunca use fogo alto para cozinhar o arroz, pois ele poderá queimar por baixo e permanecer duro por cima. O ideal é cozinhá-lo em fogo médio, com a panela semitampada, para aproveitar o vapor em benefício do cozimento.

Já o arroz parboilizado só precisa ser cozido al dente, em água e sal, e escorrido, para depois ser incrementado, conforme as dicas a seguir.

ARROZ BRANCO

O QUÊ

- ✓ ½ cebola branca pequena em cubinhos
- ✓ 1 dente de alho bem picadinho
- ✓ 1 colher (sopa) de óleo de sua preferência (de canola, soja, oliva etc.)
- ✓ 1 xícara (chá) de arroz
- ✓ 1 colher (chá) de sal
- ✓ 3 xícaras (chá) de água fervente

COMO

Coloque o óleo na panela, com a cebola e o alho, e leve ao fogo médio para refogar levemente, sem dourar muito, para que todos os ingredientes mantenham a unidade de cor.

Agora junte o arroz, já bem escorrido e sequinho, misture tudo com a ajuda de uma colher e despeje água fervente até cobrir os grãos na altura de dois dedos.

Adicione o sal. Baixe o fogo, mantenha a panela semi-tampada e vá acrescentando a água restante à medida que o arroz for secando, até chegar ao ponto desejado de cozimento – afinal, algumas pessoas preferem os grãos mais cozidos, outras al dente. Uma boa dica para quem gosta do arroz mais durinho é desligar o fogo um pouco antes que ele seque totalmente e tampar a panela, para que o cozimento termine naquele vapor.

Rendimento: 3 a 4 porções

Tempo de preparo estimado: em torno de 15 a 20 minutos, depois de lavar, escorrer e secar o arroz

DICAS PARA INCREMENTAR O ARROZ AGULHINHA

✓ Na hora em que estiver refogando a cebola e o alho, junte uma colher (chá) de curry ou açafrão, e você terá um arroz amarelinho, deliciosamente aromatizado.

- Quando a cebola e o alho estiverem refogados no ponto, deixe cair na panela um pouquinho de cachaça, vodca ou vinho branco. Deixe o álcool evaporar mexendo um pouco, e seu arroz ganhará aroma e sabores especiais.
- Nesse mesmo momento em que a cebola e o alho estão refogados, antes de acrescentar o arroz sequinho, rale um pouco de casca de limão (só a parte verdinha, sem atingir a branca, para não amargar) e então proceda normalmente, para obter um arroz refrescante.
- A dica do álcool casa bem com a do limão, portanto você pode usar os dois procedimentos no mesmo arroz e não se arrependerá.
- Depois de apagado o fogo do cozimento, quando seu arroz branco estiver bem sequinho, abra a panela e deixe sair um pouco do vapor. Se os grãos

não estiverem muito cozidos e puderem resistir a uma cuidadosa manipulação com um garfo, vá soltando-os e adicione uma boa colher demolho pesto,, se tiver em casa. Mas muito cuidado para não quebrar os grãos! Esta dica, tão simples, faz uma enorme diferença!

- Usar caldo de legumes, carne ou frango (recomendamos os naturais, feitos em casa, mas os tabletes também atendem ao nosso objetivo) no lugar da água, para o cozimento dos grãos, também é uma ótima estratégia para obter um arroz saboroso e aromatizado.
- Um simples salpicar de ervas frescas de sua preferência, bem picadinhas, sobre o arroz, logo após o cozimento, também é uma maneira simples e deliciosa de dar uma incrementada básica no arroz nosso de cada dia.

DICA PARA VARIAR O ARROZ DO DIA A DIA USANDO O PARBOILIZADO

- Já explicamos que o arroz parboilizado permite muitas variações, graças à sua textura mais firme, que possibilita a manipulação sem espatifar o grão. Assim, depois de apenas cozido em água e sal e escorrido, podemos envolvê-lo em diferentes refogadinhos, misturas e até molhos.
- Para preparar um desses refogados, coloque numa frigideira cubinhos de bacon, cebola, pimentões coloridos, cenoura, presunto, milho verde, ervilha, azeitona, açafrão para colorir – o que você tiver em casa. Escolha os ingredientes, faça seu refogadinho na manteiga ou no azeite de oliva (misturado com um pouquinho de óleo, para não queimar), envolva delicadamente, com a ajuda de um garfo, o arroz parboilizado escorrido, junte cheiro-verde no final, abafe um pouco a panela e sirva uma linda, divertida, colorida e saborosa versão do arroz nosso de cada dia.

RISOTO BÁSICO

O QUÊ

- ✓ 100 g de manteiga
- ✓ 1 cebola grande bem picada
- ✓ 2 xícaras (chá) ou 400 g de arroz italiano para risoto (carnaroli ou arbóreo)
- ✓ 100 ml de vinho branco seco
- ✓ 1½ l de caldo de legumes
- ✓ Sal e pimenta-do-reino branca a gosto
- ✓ 200 g de parmesão ralado

COMO

Prepare 1½ litro de caldo de legumes e deixe aquecer em fogo baixo, sem ferver.

Em uma panela, coloque metade da manteiga (50 g) e acrescente a cebola picada. Refogue até que ela esteja transparente (não é necessário dourar). Junte o arroz e frite-o até dourar. Nesse momento, acrescente o vinho branco, mexa e deixe evaporar (o arroz vai absorver o vinho).

Agora, comece a acrescentar o caldo de legumes, colocando-o pouco a pouco com uma concha – adicione o caldo, misture e espere que o arroz absorva o líquido, para então colocar mais uma concha de caldo. Repita essa operação, mexendo sempre, até que o arroz esteja cozido al dente, Esse processo pode levar cerca de 20 minutos, mas é bom que você prove o ponto durante o cozimento (o tempo pode variar de acordo com o arroz utilizado).

Quando ele já estiver quase cozido, diminua o fogo e tempere com sal e pimenta-do-reino (de preferência moída na hora), mas não se esqueça de que, ao final, ainda será acrescentado o parmesão – e, dependendo do caldo que você utilizou, pode ser que nem precise adicionar muito sal.

Retire o risoto do fogo e junte o restante da manteiga (50 g) e o parmesão ralado (se preferir, separe um pouco para coroar o prato). Mexa, incorporando todos os ingredientes, e sirva imediatamente.

Rendimento: 4 porções

Tempo de preparo estimado: 40 minutos

IMPORTANTE

- A quantidade de caldo utilizado até atingir o ponto perfeito do risoto pode variar um pouco. Por isso, não se espante se o risoto estiver pronto e você ainda não tiver usado toda a quantidade de caldo sugerida aqui. Lembre-se: o importante é manter o caldo sempre aquecido e ir colocando-o aos poucos.
- O arroz para risoto, seja ele carnaroli ou arbóreo, não deve nunca ser lavado.

Com essa receita básica, você pode preparar muitos outros risotos, levando em conta as seguintes dicas:

- ✓ Como a base é versátil, quase tudo pode ser acrescentado ao risoto, desde que você respeite sempre o tempo de cozimento de cada ingrediente.
- ✓ Se o ingrediente que você for acrescentar à receita básica já estiver cozido ou não necessitar de cozimento prolongado (por exemplo, tomate seco, presunto cru e alguns frutos do mar), só o coloque no finalzinho do preparo. O mesmo vale para as folhas, como espinafre, rúcula, agrião etc.
- ✓ O caldo de legumes pode ser substituído por qualquer outro de sua preferência, levando sempre em consideração os ingredientes que farão parte do prato. Por exemplo, o risoto de camarão fica ótimo com caldo de peixe; já o de açafrão fica muito bom com caldo de galinha; os que levam queijos mais encorpados casam bem com caldo de carne; e os risotos com folhas pedem um caldo

mais leve, como o de legumes. Na dúvida, o caldo de legumes atende bem a todas as preparações.

- ✓ A depender dos ingredientes do seu risoto, também é possível substituir o vinho branco seco por tinto – também seco – e até mesmo por outro tipo de bebida alcoólica, como é o caso do romântico risoto de morango com champanhe.
- ✓ Algumas combinações especialmente boas e já consagradas são abóbora e carne-seca, gorgonzola e pera, brie e aspargo, tomate seco e rúcula, linguiça e alho-poró, mas há muitas outras que você vai descobrir aí, na sua cozinha.

RISOTO DE GORGONZOLA COM PERA

O QUÊ

- ✓ 2 xícaras (chá) de arroz para risoto (carnaroli ou arbóreo)
- ✓ 100 g de manteiga
- ✓ ½ cebola grande picada

- ✓ 100 ml de vinho branco seco
- ✓ 1½ l de caldo de legumes
- ✓ 2 peras
- ✓ Suco de ½ limão
- ✓ 100 g de queijo gorgonzola
- ✓ Sal e pimenta-do-reino branca a gosto
- ✓ Queijo parmesão ralado para finalizar (opcional)

COMO

Descasque as peras, corte-as em cubos pequenos, coloque-os em uma travessa e regue-os com o suco de limão, para que a pera não escureça. Reserve.

Comece a preparar o risoto, seguindo os passos da receita básica. Depois de já ter adicionado metade do caldo de cozimento, acrescente o gorgonzola e as peras escorridas (sem o suco de limão) e continue o preparo como na receita básica. Ao final, junte a manteiga e, se quiser, finalize no prato com parmesão ralado.

Rendimento: 4 porções

Tempo de preparo estimado: 40 minutos

DICA

Não coloque as peras logo no começo do cozimento, pois elas cozinham muito rapidamente e se desmancham. A intenção é que, ao final do preparo, as peras estejam cozidas, mas não desaparecidas no prato.

POR QUE ALGUMAS FRUTAS ESCURECEM DEPOIS DE CORTADAS?

Frutas como maçã, banana, pera e abacate ficam escuras depois de cortadas. No entanto, isso não quer dizer que elas estragaram! Esse escurecimento é apenas uma reação química que acontece quando o oxigênio entra em contato com a polpa da fruta. Gotinhas de suco de limão têm poder antioxidante e fazem com que a fruta não escureça tão rapidamente.

POR QUE UTILIZAR ARROZ ITALIANO?

Porque ele tem maior concentração de amido, que é liberado ao longo do preparo e é responsável por garantir a cremosidade do prato. Esse tipo de grão tem a capacidade de cozinhar lentamente, absorvendo o caldo sem grudar ou ficar empapado.

O feijão nosso de cada dia

Para ter um feijão caseiro gostoso e fresquinho, o pulo do gato está na escolha do grão – quanto mais novo for o feijão, melhor ele vai cozinhar.

Quem compra feijão embalado precisa contar um pouco com a sorte na escolha do grão, mas uma dica boa é não comprar feijão para estocar. Comprando frequentemente, é mais fácil encontrar grãos novos.

Diversos são os tipos de feijão: jalo, rajado, rosinha, mulatinho, de corda, adzuki – uma espécie japonesa levemente adocicada, que fica boa em bolinhos, cozidos e saladas – e os mais comuns, como o preto, que reina na feijoada; o branco, que se presta muito bem para sopas, saladas e é fundamental no cassoulet; e o carioca, o mais comum no dia a dia.

PREPARANDO O FEIJÃO

O QUÊ

- ✓ 1 xícara (chá) de feijão
- ✓ 4 xícaras (chá) de água
- ✓ 1 colher (sopa) de óleo de girassol ou canola
- ✓ 3 dentes de alho amassados
- ✓ 1 folha grande de louro
- ✓ Sal e pimenta-do-reino a gosto

COMO

O primeiro passo para preparar o feijão é escolhê-lo, para retirar eventuais pedrinhas, sujeiras e grãos defeituosos. Feito isso, o feijão deve ficar de molho, coberto com água, por pelo menos oito horas, ou até mesmo de um dia para o outro.

Descarte a água do molho e leve o feijão em nova água ao fogo, em panela de pressão. Cozinhe por 20 minutos, ou até que os grãos estejam macios.

Em outra panela, aqueça o óleo, doure o alho e junte uma concha do feijão já cozido. Com a concha, esmague levemente os grãos (isso ajuda a engrossar o caldo), junte o louro e o restante do feijão. Tempere com sal e pimenta-do-reino a gosto, baixe o fogo, tampe a panela e deixe cozinhar mais um pouco, até o caldo engrossar.

Rendimento: 6 porções

Tempo de preparo estimado: 30 minutos (mais o tempo do molho)

DICA PARA INCREMENTAR O FEIJÃO

O feijão do dia a dia ganha sabor especial se levar um pouquinho de bacon picado ou linguiça calabresa, ou até mesmo os dois juntos. Nesse caso, o bacon e a calabresa vão para a panela sem óleo (ao usá-los, você pode eliminar o óleo do preparo) até soltar a gordura (que você pode descartar uma parte, se quiser), para só então entrar o alho. A partir daí, o procedimento continua o mesmo, como no feijão comum.

UTILIZANDO A PANELA DE PRESSÃO COM SEGURANÇA

- Os fabricantes recomendam que a panela de pressão seja utilizada sempre com, no mínimo, 250 ml (dois copos) de líquido e, no máximo, dois terços de sua capacidade.

- Para retirar a pressão interna, coloque a válvula que regula o vapor na posição de liberação de vapor ou coloque a panela sob água corrente, debaixo da torneira da pia.
- A panela só deve ser aberta quando não existir mais pressão interna, nunca antes disso!
- Depois que a panela pegar pressão (quando começar a fazer barulho), deixe-a sempre em fogo baixo. E conte o tempo de cozimento a partir daí.
- Consulte sempre o manual e as dicas de segurança do fabricante.

TUTU DE FEIJÃO

O QUÊ

✓ 2 xícaras (chá) de sobras de feijão com caldo
✓ ⅓ de cebola picadinha
✓ 1 dente de alho amassado
✓ 100 g de bacon em cubinhos

- ✓ 200 g de linguiça calabresa em cubinhos
- ✓ ½ xícara (chá) de farinha de mandioca
- ✓ 1 punhado de salsinha ou cebolinha

COMO

Bata o feijão pronto com caldo no liquidificador. Se estiver muito grosso, acrescente um pouco de água morna, pois o ideal é que a massa fique cremosa. Reserve.
Numa panela, reduza os cubinhos de bacon, depois os de calabresa, junte a cebola e o alho para dourar e some o creme de feijão. Queremos obter um purê de feijão com a utilização da farinha de mandioca – para tanto, é necessário que tenhamos um creme nesta etapa.
Baixe o fogo e deixe cair aos poucos sobre a panela, sem parar de mexer, uma chuva fina de farinha de mandioca da melhor qualidade possível, até obter o ponto desejado.
Desligue a panela, cubra o tutu com a salsinha ou cebolinha picada e sirva imediatamente.

Rendimento: 4 porções

Tempo de preparo estimado: 20 minutos

DICAS

- ✓ Os acompanhamentos ideais para o tutu são arroz branco; couve refogada no bacon, alho e cebola; e costelinha ou qualquer outro tipo de carne de porco. Se você ainda não enveredou pelos caminhos suínos, compre uma boa linguiça e frite com bastante cebola roxa, e está de bom tamanho.
- ✓ O tutu também pode ser feito a partir do zero, sem necessariamente usar sobras de feijão, mas a forma aqui apresentada é mais prática, sem falar na questão do reaproveitamento.

O bife e suas variações

Um bife saboroso e macio depende, entre outras coisas, da escolha da carne, por isso é importante conhecer alguns cortes. Os mais indicados para bife são filé-mignon, alcatra e contrafilé; já o patinho e o coxão mole ficam melhores quando moídos ou cozidos como carne de panela.

Fritando o bife

Para manter o sabor e a maciez do bife, tempere-o apenas com sal e pimenta-do-reino, e somente momentos antes de levá-lo ao fogo.

Aqueça bem uma frigideira ou grelha com um fio de óleo ou azeite, ou até mesmo manteiga (no caso da manteiga, lembre-se de incluir também um pouco de óleo, pois ela sozinha queima muito rapidamente).

Frite no máximo dois bifes por vez e coloque-os na frigideira apenas quando ela estiver bem quente – isso fará com que o bife sele e mantenha seus sucos, sem perder a maciez.

Quanto maior a espessura do bife, mais tempo ele levará para ficar no ponto. O melhor ponto é quando ele está dourado por fora e suculento por dentro. É muito importante que a carne não fique mais tempo do que o necessário na frigideira – a ideia não é que ela cozinhe, mas doure e mantenha a suculência interna. Por isso, evite a todo custo o chamado "bife sola de sapato", que nada mais é do que uma carne que fritou mais tempo do que deveria.

Lembre-se ainda de que o bife deve ser servido bem quentinho, por isso deixe para prepará-lo apenas quando os acompanhamentos já estiverem prontos.

Bife acebolado

Depois que os bifes fritaram, aproveite a frigideira para dourar ali rodelas de cebola. Basta acrescentar um fio de óleo, colocar a cebola, uma pitadinha de sal, mexer e esperar que ela comece a dourar. E, se você acrescentar uma colherzinha (chá) de açúcar nesse processo, vai ter deliciosas cebolas carameladas – e o açúcar também ajuda a eliminar um pouco da acidez da cebola.

Bife à milanesa

Para bife à milanesa, use filé-mignon e, nesse caso, pode temperá-lo com sal, pimenta-do-reino, alho amassado, limão e ervas de sua preferência. Deixe os bifes nesse tempero por alguns minutos.

Enquanto isso, bata com um garfo dois ou três ovos (a quantidade dependerá do número de bifes que você vai preparar), como se fosse fazer uma omelete.

Forre um prato com farinha de rosca e comece a passar cada bife na farinha, apertando bem de ambos os lados para que toda a carne fique coberta. Depois, passe os bifes de ambos os lados nos ovos batidos e então novamente na farinha de rosca.

Frite os bifes em óleo bem quente, em quantidade suficiente para cobri-los. Quando estiverem com a casquinha dourada, retire-os com uma escumadeira e coloque-os para escorrer em papel absorvente.

Sirva quente, enquanto a casquinha do bife está bem crocante. Um ótimo acompanhamento é o bom e velho purê de batatas.

Bife à parmegiana

Faça um molho de tomate encorpado e reserve (veja receita na p. 152). Prepare os bifes à milanesa e, depois de fritos, coloque-os em uma travessa refratária. Cubra os bifes com o molho de tomate, distribua fatias de muçarela por cima, de modo que forre todos os bifes, salpique orégano e leve ao forno médio pré-aquecido até derreter o queijo.

ISCAS DE MIGNON COM GORGONZOLA

O QUÊ

- ✓ 500 g de filé-mignon cortado em tirinhas
- ✓ 4 colheres (sopa) de molho inglês
- ✓ 1 colher (sopa) de azeite de oliva
- ✓ ½ colher (sopa) de manteiga
- ✓ ½ colher (sopa) de óleo
- ✓ 1 cebola pequena em cubinhos

- ✓ 1 copo de iogurte integral ou 1 caixinha de creme de leite
- ✓ 150 g de gorgonzola espatifado
- ✓ 2 colheres (sopa) de salsinha picada

COMO

Tempere as iscas de filé-mignon com o molho inglês e reserve por 15 minutos. Esquente uma frigideira e coloque a carne para selar dos dois lados. Junte a cebola, o azeite de oliva, a manteiga e o óleo e deixe refogar um pouquinho.

Baixe o fogo, coloque o iogurte ou creme de leite, o gorgonzola, misture rapidamente e desligue o fogo logo em seguida, para que o queijo não derreta totalmente. Polvilhe com a salsinha e sirva imediatamente.

Rendimento: 2 a 3 porções

Tempo de preparo estimado: 20 minutos

Frango

Grelhado em filés, assado inteirinho, cozido aos pedaços – seja como for, o frango é uma deliciosa opção, além de leve, saudável e versátil. Muito utilizado também como recheio de tortas, batatas e sanduíches, aparece ainda desfiadinho em molhos e saladas. Palmas para o franguinho, que ele merece!

FRANGO ASSADO RECHEADO

O QUÊ

- ✓ 1 frango caipira inteiro, bem limpo e sem os miúdos
- ✓ ½ maço de manjericão fresco
- ✓ ½ maço de hortelã fresca
- ✓ 1 colher (sopa) de manteiga
- ✓ 1 cebola grande em cubos
- ✓ 1 talo de funcho (parte branca da erva-doce) em cubos

- ✓ 1 maçã em cubos
- ✓ 1 xícara (chá) de vinho branco seco
- ✓ 1 xícara (chá) rasa de farinha de mandioca
- ✓ Sal e pimenta-do-reino a gosto

COMO

Ligue o forno médio desde já. Lave bem o frango com limão, inclusive por dentro, e enxugue-o com papel-toalha. Separe a pele da carne usando uma faca para soltar apenas uma ponta. Depois, com a pressão da mão por baixo da pele, ela vai se soltando toda. Mas não retire a pele, pois é ela que protege a carne do ressecamento e preserva os sucos – mantenha-a presa à carne por um lado.

Agora, com a carne exposta, você pode temperá-la por baixo da pele com sal e pimenta-do-reino moída na hora, envolvendo toda a carne branca. Destaque as folhas do manjericão e da hortelã e cubra toda a carne por baixo da pele. Está pronta a parte da carne – passemos então ao recheio, que é uma farofa de funcho com maçã.

Derreta a manteiga em fogo baixo, junte a cebola em cubos, o funcho e a maçã e refogue um pouco. Some o vinho, mexa, deixe evaporar o álcool e vá colocando a farinha de mandioca aos poucos. Acerte o sal e recheie o frango com a farofa. Durante a cocção no forno, o frango vai soltar seus sucos, que vão umedecer a farofa, a qual estará pastosa na hora de servir. Antes de levar o frango ao forno, use um barbante para amarrá-lo bem, de forma a não permitir que os sucos escorram, ressecando a carne. Amarre as pernas pelos ossinhos, envolva o frango pelo meio com outro barbante e passe um terceiro sobre as asas. É importante não cortar o sobrecu (ou curanchim) e fechar o orifício do pescoço, para evitar também a perda dos sucos. Faça cortes na pele das coxas para facilitar o cozimento da carne por baixo. Pronto!

Agora é só dispor o frango numa forma untada com óleo e levar ao forno pré-aquecido por algo em torno de 1 hora.

Rendimento: 4 porções

Tempo de preparo estimado: 1h30

DICAS

- Você pode rechear seu frango com farofa de miúdos, cebolas inteiras com cravos espetados ou frutas como abacaxi, pera e banana.
- Outra dica bacana é colocar cubos grandes de batatas, pré-cozidas em água e sal e salpicadas com alecrim, para assar na mesma forma do frango, o que já vai funcionar como uma ótima guarnição.

FRANGO COM LEGUMES E ESPECIARIAS

O QUÊ

- ✓ ½ kg de peito de frango cortado em cubos
- ✓ 1 colher (sopa) de gengibre ralado
- ✓ 1 colher (sopa) de suco de limão
- ✓ 2 dentes de alho amassados
- ✓ 2 colheres (sopa) de azeite
- ✓ 1 colher (sopa) de farinha de trigo
- ✓ 1 cebola picada em cubos
- ✓ 1 colher (café) de açafrão
- ✓ 1 colher (café) de páprica doce
- ✓ 1 colher (sopa) de curry
- ✓ 1 cenoura descascada e picada em rodelas
- ✓ ½ pimentão verde em cubos
- ✓ ½ pimentão vermelho em cubos
- ✓ 100 g de vagem em pedaços grandes
- ✓ Sal e pimenta-do-reino a gosto
- ✓ Cheiro-verde picado

COMO

Tempere os cubos de frango com sal, pimenta-do-reino, o alho, o gengibre e o limão.

Aqueça o azeite em uma panela, junte o frango, polvilhe com a farinha de trigo e mexa bem. Junte a cebola, baixe o fogo e refogue até dourar. Acrescente o curry, a páprica e o açafrão, junte os legumes e mexa bem para incorporar todos os ingredientes.

Cubra com água, tampe a panela e cozinhe em fogo baixo até que os legumes estejam macios e a água tenha quase secado, mas ainda reste um caldinho grosso. Corrija o sal e a pimenta se necessário, desligue o fogo, transfira para uma travessa e salpique o cheiro-verde picado.

Rendimento: 6 porções

Tempo de preparo estimado: 30 minutos

DICAS

- ✓ Em dias de festa, você pode incrementar essa receita acrescentando ao final, já na hora de servir, lâminas de amêndoas torradas ou castanha-de-caju picada.
- ✓ No lugar do cheiro-verde, também é possível usar coentro fresco.
- ✓ Você pode substituir os legumes da receita por outros de sua preferência, como abobrinha, chuchu, ervilha torta e alho-poró, sempre respeitando o tempo de cozimento de cada um deles.
- ✓ Para dar ainda mais sabor, substitua a água do cozimento por caldo de frango.

Peixes e frutos do mar

Já parou para pensar em como o mar é gentil com nossas mesas? São tantos peixes, mariscos e moluscos disponíveis para nos agraciar com seu frescor! Desde um simples dourado à milanesa, passando por um nobre salmão com molho de frutas, até exóticas lulas en su tinta, o fruto que vem do mar é rico, tem mil sabores, é saudável, simples e ao mesmo tempo luxuoso.

FILÉ DE SALMÃO COM MANTEIGA DE ALCAPARRA E ALECRIM

O QUÊ

- ✓ 8 filés altos de salmão
- ✓ 2 limões em rodelas
- ✓ 1 colher (chá) de alecrim (fresco ou seco)
- ✓ 3 colheres (sopa) de manteiga clarificada
- ✓ 3 colheres (sopa) de alcaparras escorridas
- ✓ Sal e pimenta-do-reino a gosto

COMO

Tempere os filés com sal e pimenta-do-reino a gosto e deixe descansar por 30 minutos. Ligue o forno médio para pré-aquecer. Unte uma forma com óleo e deite os filés. Disponha sobre eles as rodelas de limão e salpique o alecrim. Cubra com papel-alumínio e leve ao forno pré-aquecido por 10 minutos para soltar água. Remova o alumínio e deixe no forno por mais 10 minutos para dourar, sem precisar virar os filés.

Derreta a manteiga numa panela em fogo baixo, colha com a ajuda de uma colher a espuma que se formará (esse é o processo da clarificação), descarte essa espuma e misture as alcaparras com a manteiga. Retire o salmão do forno, dispensando as rodelas de limão. Disponha os filés num prato, cubra-os com a manteiga de alcaparras e salpique mais um pouco de alecrim.

Rendimento: 4 porções

Tempo de preparo estimado: 1 hora

DICA

- A partir desse modo de preparo do salmão, você pode utilizar diversos tipos de molhos, até mesmo prontos, para esse delicioso prato. Veja algumas sugestões:
- **Molho oriental:** misture 5 colheres (sopa) de azeite de oliva, 3 colheres (sopa) de shoyu ou molho teriyaki, suco de ½ limão, 1 colher (chá) de açúcar mascavo, 1 colher (chá) de gengibre ralado na hora, 1 colher (sobremesa) de anéis finos de cebolinha e sal a gosto. Guarnece 4 filés.
- **Molho de iogurte com laranja:** misture 1 copo de iogurte natural, ⅓ copo de suco de laranja, 2 colheres (sopa) de azeite de oliva, 2 colheres (sopa) de hortelã picada, sal e pimenta-do-reino moída na hora a gosto. Guarnece 6 filés.

CAMARÃO COM LEITE DE COCO

O QUÊ

- ✓ 1 kg de camarões médios descascados e limpos
- ✓ Suco de ½ limão
- ✓ 3 colheres (sopa) de azeite
- ✓ 1 cebola em rodelas
- ✓ 1 xícara (chá) de polpa de tomate
- ✓ 1 xícara (chá) de creme de leite fresco
- ✓ 1 vidro (220 ml) de leite de coco
- ✓ Sal e pimenta-do-reino a gosto
- ✓ Coentro picado a gosto

COMO

Tempere o camarão com sal, pimenta-do-reino e o suco do limão. Em uma panela, aqueça o azeite, junte a cebola e frite até dourar. Junte os camarões e refogue rapidamente, tempo suficiente para que eles fiquem rosados. Junte a polpa de tomate e cozinhe em fogo baixo por 10 minutos. Acrescente o creme de leite e o leite de coco e misture bem. Cozinhe por mais 5 minutos. Desligue o fogo, transfira para uma travessa e junte o coentro fresco picado. Sirva com arroz branco.

Rendimento: 4 porções

Tempo de preparo estimado: 20 minutos

DICAS

- Ao comprar camarões com casca, depois de retirá-las, você pode utilizá-las para fazer caldo de camarão. Basta levar as cascas ao fogo com água, cebola, louro e temperos a seu gosto, deixar ferver um pouco, coar e utilizar o caldo onde você quiser – no arroz branco, por exemplo, fica uma delícia.
- O rendimento desse fruto do mar é bastante baixo – para obter 1 quilo de camarões limpos, você precisa comprar cerca de 2½ quilos de camarões inteiros.

Saladas

Elas podem ser simples – como a imbatível parceria entre alface e tomate – ou aparecer em versões incrementadíssimas, fazendo bonito até em dias de festa. Também é possível variar bastante no tempero e criar mil opções para o dia a dia. Seja como for, a salada é sempre um bom acompanhamento.

SALADA CAPRESE

O QUÊ

- ✓ 12 fatias de muçarela de búfala
- ✓ 12 rodelas de tomates maduros
- ✓ Manjericão fresco a gosto
- ✓ Azeite de oliva extravirgem a gosto
- ✓ Sal e pimenta-do-reino a gosto

COMO

Corte as fatias de muçarela de búfala em tamanho proporcional às rodelas de tomate e vá arrumando-as alternadamente num prato raso. Cubra a salada com folhas de manjericão fresco, regue com azeite de oliva extravirgem e tempere com sal e pimenta a gosto.

Rendimento: 4 porções

Tempo de preparo estimado: 5 minutos

DICA

Se quiser fazer uma cama de rúcula para essa saladinha, fique à vontade!

SALADA DE BATATA COM MOLHO DE IOGURTE E MOSTARDA

O QUÊ

- ✓ ½ kg de batata

- ✓ ½ cebola bem picada
- ✓ 1 colher (sopa) de mostarda comum
- ✓ 1 colher (sopa) de mostarda Dijon
- ✓ 1 pote de iogurte natural
- ✓ 3 colheres (sopa) de azeite extravirgem
- ✓ Suco de ½ limão
- ✓ Sal e pimenta-do-reino a gosto
- ✓ Salsinha picada a gosto

COMO

Cozinhe as batatas até que fiquem macias mas ainda firmes, sem desmanchar, descasque-as e corte-as em cubos grandes. Coloque-as em uma travessa e junte a cebola picada. Em uma tigelinha misture bem o iogurte, as mostardas, o azeite e o limão e junte às batatas. Mexa, incorpore bem o molho e as batatas, tempere com sal e pimenta a gosto e, por fim, acrescente a salsinha picada. Leve à geladeira, coberto com filme plástico até o momento de servir. Acompanha muito bem carnes grelhadas e faz bonito também no churrasco.

Rendimento: 4 porções

Tempo de preparo estimado: 20 minutos

DICAS

- ✓ Na falta de mostarda Dijon, pode-se usar apenas a comum (2 colheres).
- ✓ Ao cozinhar batatas, tire-as do fogo e coloque-as em um recipiente com água fria – isso interrompe o cozimento e as mantém firmes, sem desmanchar.

Massas

Anote aí: nada salva mais uma cozinha do que uma boa massa na despensa e um pouquinho de criatividade. Além do mais, ela é sempre uma ótima opção para servir como prato único, o que já facilita e muito sua vida.

Basicamente, temos os seguintes tipos de massa: as secas e as frescas.

As secas são as mais comuns, industrializadas e encontradas embaladas no supermercado, no setor de massas. Podem ser com ovos, com sêmola, coloridas (que levam vegetais na composição), artesanais, integrais e as de grano duro (elaboradas com um trigo especial, chamado *trigo durum*), que são as nossas preferidas, por ficar sempre no ponto certo.

As frescas são encontradas na parte refrigerada do supermercado ou em rotisserias. São comumente encontradas nas versões recheadas, como capelete e ravióli, e laminadas, para o preparo de lasanha, canelone e rondelli, por exemplo.

Formatos & molhos

As massas podem ser longas, curtas, para sopa e recheadas. Algumas casam melhor com um ou outro tipo de molho, desta forma:

- massas curtas podem levar molhos mais rústicos, com pedaços maiores, e podem até virar ingrediente de saladas;
- massas longas pedem molhos com pedaços menores, que podem ser envolvidos pela massa;
- nas massas recheadas, o molho deve estar sempre em harmonia com o recheio.

Você verá adiante duas receitas de molho, que podem combinar bem com todos os tipos de massa – o de tomate e o molho branco.

Massas para sopa

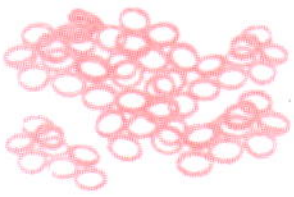

Argolinha

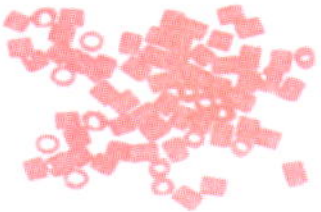

Ave-Maria

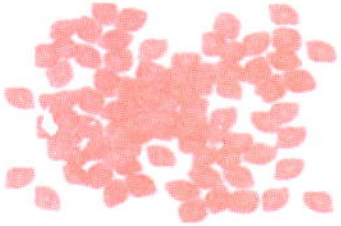

Conchinha

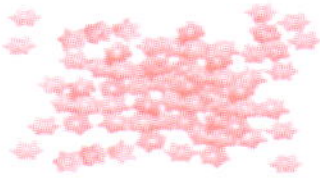

Estrelinha

Letrinha

Padre-Nosso

Fonte: www.abima.com.br

Massas curtas

Caracol

Concha Grande ou Conchiglioni

Espiral

Gravatinha ou Farfalle

Fusilli

Penne

Rigatoni

Fonte: www.abima.com.br

Massas longas

Cabelinho-de-Anjo

Bavette

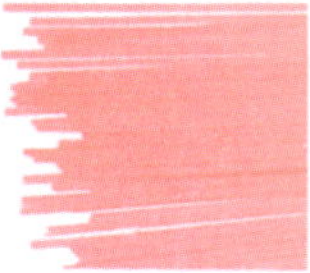

Espaguete

Espaguete Furadinho ou Bucatini

Fettuccine

Ninho

Linguine

Pappardelle

Talharim

Fonte: www.abima.com.br

Outros formatos

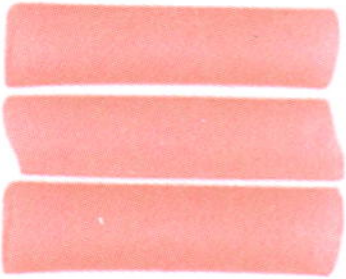

Canelone

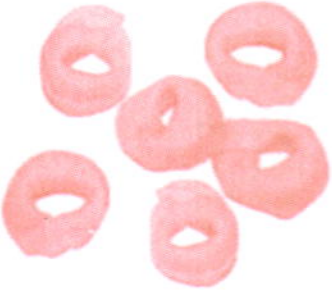

Capelete

Lasanha

Nhoque

Ravióli

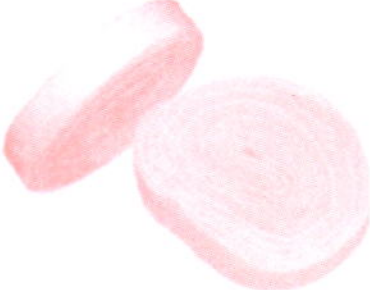

Rondelli

Fonte: www.abima.com.br

Regras gerais para o preparo de massas

✓ A massa deve ser cozida em bastante água – uma referência é usar 1 litro de água para cada 100 gramas de massa –, sempre em fogo alto e de preferência em uma panela alta e larga. A massa vai para a panela apenas quando a água já estiver fervendo.

- ✓ À água do cozimento, ainda fria, acrescenta-se um punhado de sal – em média 1 colher (sobremesa) para cada litro de água – e um fio de óleo ou azeite, que é opcional.
- ✓ Nunca, jamais, em hipótese alguma cozinhe demais sua rica massinha! É aqui que entra o famoso al dente, que nada mais é do que um termo italiano que define o ponto correto do cozimento da massa – ela está al dente quando estiver cozida mas ainda oferecer certa resistência ao ser mordida. Para testar, prove a massa. E, ao parti-la, ela não deve ter mais nenhum ponto branco em seu interior.
- ✓ Depois de cozida, a massa deve ser transferida para um escorredor apropriado até que toda a água do cozimento seja escoada. De lá, vai para a travessa onde será servida.
- ✓ Massas longas nunca devem ser partidas, devem ir para a panela inteiras – por isso é importante a dica da panela grande.

- Se a massa for servida como prato único, calcule de 80 a 100 gramas por pessoa, considerando esse peso antes de cozinhá-la.

MOLHO DE TOMATE

O QUÊ

- 6 tomates maduros pelados
- 2 colheres (sopa) de azeite de oliva
- 1 fio de óleo
- 1 cebola roxa picadinha
- ½ xícara (chá) de vinho tinto seco
- 1 xícara (chá) de molho de tomate pronto
- 1 xícara (chá) de caldo de legumes
- 1 colher (chá) de açúcar mascavo

COMO

Pele os tomates, retire as sementes, corte em cubinhos e reserve. Numa panela, coloque o azeite e o óleo e leve ao fogo para esquentar. Junte e doure a cebola. Agora, misture os tomates e deixe refogar um pouco.

Some o vinho, mexa bem e deixe evaporar. Junte o molho de tomate, o açúcar para quebrar a acidez e vá colocando o caldo de legumes aos poucos. Depois de bem misturado, tampe a panela e deixe reduzir um pouco. Por fim, caso queira, junte um bom punhado de manjericão picado, depois de apagado o fogo, e deixe abafado por alguns minutos.

Rendimento: 4 porções

Tempo de preparo estimado: 20 minutos

DICA

Para pelar os tomates, basta fazer um corte em X na extremidade de baixo, mergulhá-los por alguns segundos em água fervente e em seguida em água gelada. A pele se solta quase sozinha.

MOLHO BRANCO

O QUÊ

- ✓ 500 ml de leite
- ✓ 1 pequeno bouquet garni, a sua escolha
- ✓ 1 colher (sopa) bem cheia de manteiga derretida
- ✓ 1½ colher (sopa) bem cheia de farinha de trigo
- ✓ 1 pitada de noz-moscada ralada na hora
- ✓ Sal e pimenta-do-reino branca a gosto

COMO

Ferva o leite com o bouquet garni, coe e reserve. Misture a farinha com a manteiga derretida e leve ao fogo baixo rapidamente. Vá acrescentando o leite aos poucos, mexendo energicamente para não empelotar, até obter a consistência desejada. Tempere com noz-moscada, sal e pimenta-do-reino.

Utilize o molho branco em massas, coberto com bastante parmesão ralado, e para gratinar outros pratos que vão ao forno, principalmente aqueles à base de aves ou peixes.

Rendimento: 4 porções

Tempo de preparo estimado: 20 minutos

Vegetais

Legumes e verduras são ótimos acompanhamentos e muito simples de preparar. Um refogadinho honesto de verduras ou legumes de sua preferência, ou mesmo um leve cozimento ao vapor, e eles acompanharão muito bem qualquer prato.

Lembre-se sempre de não cozinhar demais seus legumes e verduras! Assim você não perde a enorme quantidade de nutrientes que esses alimentos possuem e ainda conserva uma boa textura.

VEGETAIS NA CHAPA

O QUÊ

- ✓ Vegetais crus, incluindo legumes e frutas que você tenha em casa, tais como abacaxi, banana, brócolis, cebola, tomate, pimentão, vagem, abobrinha, entre outros de sua preferência
- ✓ Legumes pré-cozidos (para que fiquem macios), como batata, mandioca (ou aipim) e cenoura
- ✓ Óleo para untar a chapa
- ✓ Azeite de oliva
- ✓ Shoyu (opcional)
- ✓ Ervas secas
- ✓ Sal e pimenta-do-reino a gosto

COMO

Descasque, corte os vegetais escolhidos e reserve-os. Unte a chapa ou grelha com óleo e leve ao fogo alto para esquentar bastante. Agora baixe o fogo e vá dispondo os vegetais cortados sobre a chapa para que dourem. Vire cada um apenas uma vez, para evitar que se quebrem. Depois que todos forem virados, regue-os com um pouco de shoyu e azeite de oliva, ou apenas com o azeite, se assim preferir. Salpique ervas secas de sua preferência, sal, pimenta-do-reino moída na hora e sirva imediatamente.

Rendimento: vai depender da quantidade de legumes disponível.

Tempo de preparo estimado: 15 minutos

SUFLÊ DE CENOURA E ALHO-PORÓ

O QUÊ

- ✓ 2 colheres (sopa) de manteiga
- ✓ 1 cebola picada
- ✓ 1 alho-poró picado

- ✓ 1 cenoura ralada
- ✓ 1½ xícara (chá) de leite
- ✓ 2 colheres (sopa) de farinha de trigo
- ✓ 1 lata de creme de leite sem soro
- ✓ 2 ovos separados
- ✓ 2 colheres (sopa) de parmesão ralado
- ✓ 1 pitada de noz-moscada ralada
- ✓ Sal e pimenta-do-reino branca a gosto

COMO

Em uma panela aqueça a manteiga, junte a cebola picada e o alho-poró e refogue até que comecem a murchar. Junte a cenoura ralada, 1 xícara do leite e a farinha de trigo dissolvida na ½ xícara restante de leite. Misture bem e cozinhe até engrossar.

Desligue o fogo e junte o creme de leite sem soro, as 2 gemas batidas e o parmesão ralado. Incorpore tudo, tempere com sal e pimenta a gosto e acrescente a noz-moscada.

Espere a mistura esfriar um pouco e só então incorpore delicadamente as 2 claras batidas em neve. Coloque a mistura em um refratário e leve ao forno médio pré-aquecido, em banho-maria (veja na p. 192 como fazer o banho-maria), por 30 minutos ou até dourar.

Rendimento: 4 porções

Tempo de preparo estimado: 40 minutos

DICAS

Para garantir a textura do suflê, algumas dicas são fundamentais:

- Só agregue as claras em neve à mistura quando ela estiver pelo menos morna, nunca quente!
- Agregue as claras em neve sempre delicadamente, sem mexer demais – elas são responsáveis pela textura levíssima e aerada do suflê, por isso é muito importante não mexer demais, apenas o suficiente para incorporá-las à mistura.

- ✓ Não asse o suflê em refratário muito raso e prefira sempre o ramequim.
- ✓ Você também pode fazer o suflê em porções individuais, basta levá-lo ao forno em ramequins pequenos.

CLARAS EM NEVE

Para obtê-las, basta bater as claras na batedeira ou à mão até que elas atinjam ponto de espuma firme. Para testar, pegue um pouco da mistura com uma colher e vire-a – se a clara não cair da colher, está no ponto.

PURÊ DE BATATA

O QUÊ

- ✓ 1 kg de batatas
- ✓ 3 colheres (sopa) de manteiga
- ✓ 1 xícara (chá) de leite
- ✓ 1 pitada de noz-moscada ralada

✓ Sal a gosto

COMO

Cozinhe as batatas em água fervente até que fiquem macias (teste com a pontinha de uma faca – se ela entrar sem dificuldade no meio da batata, o alimento estará cozido). Descasque-as e passe-as ainda quentes pelo espremedor de batatas – se você não tiver um, pode amassar muito bem com um garfo.

Em uma panela, coloque a batata espremida, junte a manteiga e o leite. Em fogo baixo, mexa bem para incorporar todos os ingredientes e cozinhe por 2 ou 3 minutos. Tempere com sal e a noz-moscada e sirva quente.

Rendimento: 6 porções

Tempo de preparo estimado: 30 minutos

DICA

Usando a mesma receita, você também pode fazer outros purês, como de cenoura, de mandioquinha, de mandioca ou de batata-doce.

Ovo

Quando tudo mais lhe faltar, um ou dois ovos podem salvar sua pele. Fritos, em omeletes, mexidinhos, poché ou simplesmente cozidos – são muitas as possibilidades. Por ser tão versáteis, ovos nunca podem faltar na sua cozinha! Sem falar que são fundamentais para o preparo de bolos, massas e doces.

OVO FRITO SEM MISTÉRIOS

O QUÊ

✓ 1 colher (sopa) mal cheia de manteiga, margarina, azeite ou óleo

✓ 1 ovo
✓ Sal e pimenta-do-reino a gosto

COMO

Fritar um ovo honesto não tem truque, mágica ou segredo. Use uma frigideira pequena e antiaderente e, se possível, o ovo em temperatura ambiente. Em fogo alto, coloque a margarina ou manteiga para derreter – se estiver usando óleo ou azeite, espere até que se aqueçam. Quebre o ovo em uma xícara e transfira para a frigideira. Quando ele começar a endurecer (a clara vai ficando branquinha), tempere com sal e pimenta, vá recolhendo com uma colher a gordura da frigideira e jogando por cima do ovo (cuidado que pode espirrar!). O ponto é você quem decide – para gema molinha, deixe pouco tempo no fogo (geralmente quando a clara já está cozida e começa a dourar, já está pronto); para gema durinha, cozinhe em fogo baixo e com a frigideira tampada, virando com cuidado o ovo com a ajuda de uma espátula na metade do cozimento.

Rendimento: 1 porção

Tempo de preparo estimado: 5 minutos

OVO MEXIDO

O QUÊ

- ✓ 3 ovos
- ✓ 4 colheres (sopa) de leite
- ✓ 1 colher (chá) de manteiga
- ✓ Sal e pimenta-do-reino a gosto
- ✓ 1 pitada de noz-moscada ralada

COMO

Em uma tigela, quebre os ovos, junte o leite, tempere com sal e pimenta-do-reino a gosto e coloque uma pitada de noz-moscada (melhor se for ralada na hora). Bata bem os ovos com um garfo ou batedor até que comece a formar espuma. Em uma frigideira antiaderente, derreta a manteiga e junte a mistura de ovos. Baixe o fogo e mexa até que o ovo esteja cozido, sem deixar dourar.

Rendimento: 2 porções

Tempo de preparo estimado: 10 minutos

DICA

É possível incrementar o ovo mexido com bacon picadinho, pimentão em cubos pequenos, cebola picada, alho-poró em rodelas... Você também pode acrescentar ervas a gosto – o tomilho fica excepcionalmente bom com ovos mexidos.

IMPORTANTE

Ao utilizar ovos em uma receita, quebre-os sempre em uma xícara e só depois agregue-os à preparação. Um ovo estragado e quebrado diretamente na receita pode fazer com que você perca todos os ingredientes.

OVO POCHÉ

O QUÊ

- ✓ Ovos muito frescos
- ✓ 2 colheres (sopa) de vinagre branco
- ✓ ½ l de água
- ✓ Sal a gosto

COMO

Ferva a água em uma panela rasa com o vinagre e o sal. Quando ferver, baixe o fogo e junte delicadamente, e o mais perto possível da água, os ovos, um a um, previamente quebrados em uma xícara. Com uma escumadeira, vá com cuidado dando forma ao ovo, procurando deixar clara e gema bem juntinhas – se o ovo estiver fresco, a clara não vai se espalhar tanto.
Cozinhe em fogo baixo por 3 minutos para ficar com a gema molinha e 5 minutos para ficar com a gema mais firme. Retire os ovos da água com a escumadeira e passe-os por um recipiente com água gelada. Seque-os

cuidadosamente com um papel-toalha (apenas para tirar o excesso de água) e sirva-os com um molho de sua preferência. Molho de mostarda fica ótimo – basta usar 1 colher (sopa) de mostarda para 2 de iogurte natural, temperar com sal, pimenta-do-reino e azeite extravirgem e servir sobre os ovos.

Tempo de preparo estimado: 15 minutos

DICA

Uma dica nada francesa, mas ainda assim muito saborosa, é fazer ovo poché usando molho de tomate em vez de água. Nesse caso, basta preparar um molho de tomate e, quando ele estiver fervendo, proceder da mesma maneira que pede a receita. Ao final, você pode ainda juntar um punhado de ervas frescas picadas – salsinha e manjericão funcionam muito bem. Os franceses podem até reclamar, mas essa versão "caipira" de ovo poché é deliciosa.

Santa omelete!

A omelete é mesmo uma mão na roda, pois, além de deliciosa, é muito prática e oferece um sem-fim de possibilidades de recheio, desde os mais nobres até as sobras na geladeira.

OMELETE

O QUÊ

- ✓ 4 ovos
- ✓ ½ xícara (chá) de leite
- ✓ 1 colher (sopa) de farinha de rosca
- ✓ 1 colher (sopa) de queijo parmesão ralado
- ✓ 150 g de presunto picado
- ✓ 1 colher (sopa) de cebola ralada (opcional)
- ✓ Sal e pimenta-do-reino a gosto
- ✓ 1 punhado de salsinha fresca picada
- ✓ Óleo para untar a panela

COMO

Misture todos os ingredientes energicamente com um garfo até que a mistura esteja bem homogênea. Leve ao fogo uma frigideira generosamente untada com óleo de sua preferência até esquentar bem. Deite ali a massa da omelete, deixe tostar de um lado e vire. Sirva quentinho.

Rendimento: 4 porções

Tempo de preparo estimado: 15 minutos

DICAS

- Em vez de fazer uma omelete grande, use uma omeleteira ou frigideira bem pequenininha e faça omeletes menores, assim elas ficam mais graciosas, uniformes e é mais prático virá-las. Você também pode lançar mão de uma panquequeira.

✓ Outras possibilidades de ingredientes para sua omelete: alho-poró, azeitona, legumes, outros embutidos, bacon, frango, atum, milho, ervilha, queijos, ervas diferentes e o que mais estiver disponível na geladeira. Aproveite e solte a imaginação!

Sopas e caldos

Engana-se quem ainda acredita que sopas e caldos são refeições de hospital ou de pessoas convalescentes! Independentemente da época do ano, uma sopa ou um caldinho é sempre uma excelente pedida para um jantar mais leve, serve muito bem como entrada e ainda pode aparecer em versões bem substanciosas, que não deixam nada a desejar como refeição completa.

CALDO VERDE

O QUÊ

- ✓ 5 batatas médias
- ✓ 1 l de caldo de carne ou de legumes
- ✓ 2 maços de couve
- ✓ ½ cebola ralada
- ✓ 2 dentes de alho amassados
- ✓ 150 g de bacon magro
- ✓ 200 g de linguiça defumada
- ✓ 1 punhado de salsa picada
- ✓ 1 fio de azeite de oliva
- ✓ Sal a gosto

COMO

Descasque as batatas e cozinhe-as no caldo de carne ou de legumes. Quando estiverem macias, desligue o fogo e junte 1 maço de folhas de couve bem lavadas. Deixe esfriar um pouco, bata tudo no liquidificador e reserve.

Corte o bacon em cubinhos e leve ao fogo para reduzir um pouco. Junte a cebola e o alho, depois a linguiça sem pele cortada em cubinhos e deixe refogar um pouco. Junte o outro maço de couve picado bem fininho, o creme batido, misture bem e deixe ferver. Coloque sal se necessário. Apague o fogo, deite um fio de azeite de oliva e um punhado de salsa picada, abafe por 5 minutos e sirva.

Rendimento: 6 porções

Tempo de preparo estimado: 30 minutos

DICA

Quando for bater as batatas cozidas com a couve no liquidificador, vá colocando o líquido aos poucos enquanto bate, até encontrar o ponto desejado do caldo. Se você gostar de caldo mais grosso, talvez não precise usar todo o líquido do cozimento da batata.

SOPA DE LEGUMES COM CARNE

O QUÊ

- ✓ 500 g de músculo
- ✓ 3 colheres (sopa) de óleo
- ✓ 1 cebola picada
- ✓ 3 dentes de alho amassados
- ✓ 2 folhas de louro
- ✓ 3 batatas médias
- ✓ 1 chuchu
- ✓ 1 cenoura
- ✓ 2 mandioquinhas
- ✓ 200 g de macarrão para sopa (veja as opções na p. 147)
- ✓ Sal e pimenta-do-reino a gosto
- ✓ Salsinha picada

COMO

Na panela de pressão, coloque o músculo cortado em cubos grandes e deixe fritar bastante, mexendo sempre. Quando a carne estiver dourada, junte o óleo, a ce-

bola e o alho e frite mais, até dourar. Tempere com sal e pimenta, coloque as folhas de louro, cubra a carne com água, tampe a panela e deixe cozinhar por 20 minutos (sempre contados a partir do início da pressão), ou até que o músculo esteja bem macio.
Abra a panela (deixe sair toda a pressão antes de abrir, conforme já explicado), coloque os legumes cortados em cubinhos pequenos, de preferência do mesmo tamanho, acrescente mais água, feche novamente a panela e cozinhe por mais 5 minutos. Abra a panela mais uma vez, acrescente o macarrão, mexa bem e cozinhe (sem pressão, com a panela aberta) por mais ou menos 8 minutos, ou apenas o tempo suficiente para finalizar o cozimento dos legumes e cozinhar o macarrão.
Acerte o tempero, desligue o fogo e coloque um bom punhado de salsinha fresca picada.

Rendimento: 6 porções

Tempo estimado de preparo: 40 minutos

DICAS

- ✓ Substitua os legumes de acordo com sua preferência – você pode usar, por exemplo, abobrinha, alho-poró, vagem, repolho...
- ✓ A sopa ficará ainda mais saborosa se você utilizar caldo de carne no lugar da água.
- ✓ Providencie alguns acompanhamentos para incrementar a sopa, como parmesão ralado, croûtons , ervas frescas, pimenta-do-reino para moer na hora, azeite extravirgem, e deixe que cada pessoa finalize no prato com os ingredientes que preferir. Claro que torradinhas ou pão (o italiano é ótimo para isso) não podem faltar!

Pães e tortas salgadas

O ser humano não vive só de refeições, mas também de lanchinhos. Lanche para o filho, para receber amigos, para fazer uma gracinha no trabalho, para levar para uma confraternização... Mas, como a ideia é praticidade, uma receita de pão infalível e uma torta que aceita mil variações são nossas sugestões para incrementar esses seus momentos.

PÃO DE MANJERICÃO

O QUÊ

- ✓ 3 ovos
- ✓ 1 copo (americano) de água
- ✓ 1 copo (americano) de leite
- ✓ 1 copo (americano) de azeite de oliva
- ✓ 2 colheres (sopa) de açúcar
- ✓ ½ colher (sopa) de sal
- ✓ 1 cebola pequena
- ✓ 1 maço de manjericão sem os talos
- ✓ 1 envelope de fermento biológico seco
- ✓ 5 xícaras (chá) de farinha de trigo
- ✓ Manteiga para untar as formas

✓ Farinha de trigo para polvilhar

COMO

Unte e enfarinhe duas formas de bolo inglês. No liquidificador, bata os ovos, a água, o leite, o azeite, o açúcar, o sal, a cebola e o manjericão. Depois de bem misturados, junte o fermento e pulse rapidamente. Coloque a farinha numa tigela, abra um buraco no meio, deite a mistura líquida e vá misturando aos poucos, até obter uma massa homogênea. Divida a massa entre as duas formas, deixe descansar por 1 hora e leve ao forno pré-aquecido por aproximadamente 30 minutos.

Rendimento: 2 pães, cada um com 8 a 10 fatias

Tempo de preparo estimado: 2 horas (incluindo o tempo de descanso da massa)

DICA

Se você quiser incrementar este pão, basta acrescentar uma camada de gorgonzola no meio de cada forma. Coloca-se um pouco da massa, uma fatia de gorgonzola esmigalhada e o restante da massa.

TORTA DE LIQUIDIFICADOR

O QUÊ

- ✓ 3 ovos
- ✓ 1½ xícara (chá) de óleo de girassol
- ✓ 2 xícaras (chá) de leite
- ✓ 1 xícara (chá) de farinha de trigo
- ✓ 2 colheres (sopa) de queijo parmesão ralado
- ✓ 2 colheres (sopa) de maisena
- ✓ 1 colher (sopa) de fermento em pó
- ✓ 1 pitada de sal
- ✓ Queijo ralado para polvilhar

COMO

Bata todos os ingredientes no liquidificador até obter uma mistura homogênea.

Em uma forma untada e enfarinhada, despeje metade da massa, distribua por cima o recheio que preferir, cubra com o restante da massa e polvilhe com o queijo ralado. Leve ao forno médio pré-aquecido por 30 minutos, ou até que esteja dourada.

Rendimento: 10 porções

Tempo de preparo estimado: 50 minutos

SUGESTÕES DE RECHEIO

Você pode rechear a torta de liquidificador de muitas maneiras, levando apenas em conta que o recheio não deve ser muito molhado. Portanto, se for utilizar um refogado, por exemplo, deixe-o mais sequinho e sem caldo.

Algumas ideias:

- Presunto e muçarela picados em cubinhos, temperados com um fio de azeite, orégano, sal e pimenta-

-do-reino a gosto. Podem-se substituir tanto o presunto quanto a muçarela, usando, por exemplo, peito de peru, lombinho, salsicha, queijo prato, queijo de minas... É só usar a criatividade e dar uma vasculhada no que está sobrando na geladeira – frios em geral combinam bem com essa torta.

- Atum ralado, temperado com um fio de azeite, cebola bem picadinha e cheiro-verde também picadinho. Aqui é possível substituir o atum por sardinha, salmão defumado, kani kama, carne de siri desfiada etc.
- Refogados de verduras e legumes. Basta refogar seus legumes e verduras preferidos, usá-los como recheio e você terá uma deliciosa torta em versão vegetariana. Experimente utilizar espinafre, acelga, cenoura, alho-poró... Refogue-os em alho e cebola picados até que fiquem macios e tempere a gosto, com sal, pimenta e ervas de sua preferência.
- Frango ou carne refogados também ficam deliciosos como recheio dessa torta. No caso do frango, bas-

ta cozinhar e desfiar o peito, refogá-lo com bastante alho, cebola e salsinha e temperá-lo a seu gosto (aqui fica ótimo utilizar curry – veja o capítulo "Temperos, ervas e especiarias"). Nesse refogado, você ainda pode juntar um pouquinho de requeijão cremoso, do tipo Catupiry. A carne moída também rende recheios deliciosos – basta refogá-la bem, temperá-la à sua maneira e, se quiser, incrementá-la com outros ingredientes, como milho, ervilha, azeitona picadinha, uva-passa sem semente etc.

- Outras misturas que dão samba: espinafre com ricota, beringela com abobrinha, ricota com tomate seco, escarola com milho verde, bacalhau desfiadinho com azeitona, calabresa com cebola, e muitas outras que você vai descobrir.
- Evite apenas recheios com tomate, que costuma soltar muita água quando cozido e pode deixar a torta úmida demais.

Bolos

Em versões simples e corriqueiras ou vestido para festa, o bolo é sempre uma unanimidade. Além do mais, cheiro de bolo assando no forno é uma das coisas mais reconfortantes da vida.

BOLO DE FUBÁ MIMOSO

O QUÊ

- ✓ 1 xícara (chá) de leite
- ✓ 3 ovos
- ✓ 1 xícara (chá) de fubá de milho
- ✓ ½ xícara (chá) de óleo de milho
- ✓ 1 xícara (chá) de farinha de trigo
- ✓ 2 xícaras (chá) de açúcar
- ✓ 1 colher (sopa) de queijo ralado
- ✓ 1 colher (sopa) de fermento em pó
- ✓ 1 colher (sopa) de erva-doce

✓ Margarina para untar
✓ Farinha para polvilhar

COMO

Unte e enfarinhe uma forma e acenda o forno médio. Bata todos os ingredientes no liquidificador, com exceção do fermento e da erva-doce. Depois de bem misturados os ingredientes, junte o fermento e pulse rapidamente no liquidificador. Por último, junte a erva-doce e misture com uma colher. Deite a massa na forma e leve ao forno por algo em torno de 40 minutos.

Rendimento:12 fatias

Tempo de preparo:1 hora

DICA

Se você gostar da ideia de combinar este delicioso bolo de fubá com goiabada, que por sinal costuma ser um casamento perfeito, é só cortar um tablete de goiabada em cubinhos e levar ao fogo baixo com um pouco de água fervente, até derreter e virar uma calda, que você usará para cobrir o bolo.

BOLO DE VÓ

O QUÊ

- ✓ 5 ovos
- ✓ 200 g de manteiga sem sal
- ✓ 2 xícaras (chá) de açúcar
- ✓ ⅔ xícara (chá) de leite
- ✓ 2 xícaras (chá) de farinha de trigo peneirada
- ✓ 1 colher (sopa) de fermento em pó

COMO

Separe os ovos e bata na batedeira (ou à mão) as gemas, a manteiga e o açúcar, até obter um creme clarinho. Vá adicionando a farinha e o leite intercaladamente, batendo sempre para que a mistura fique bem homogênea. Por fim, acrescente o fermento em pó e bata rapidamente. Junte as claras batidas em neve, misturando com delicadeza, sem bater, até que elas estejam bem agregada à massa.

Coloque a mistura em forma de buraco no meio, untada e polvilhada com farinha, e leve ao forno médio pré--aquecido por 40 minutos, ou até que o bolo esteja dourado e passe pelo teste do palito.

Desenforme o bolo apenas quando ele estiver frio.

Rendimento: 12 fatias

Tempo de preparo estimado: 1 hora

! O TESTE DO PALITO

Para saber se o bolo está assado, abra o forno e espete-o com um palito de dentes. Se o palito sair limpo, sem massa, o bolo está pronto!

DICAS

✓ Com essa receita, você pode fazer variações:

- **Bolo de frutas:** no lugar da medida indicada de leite, use ⅓ de xícara (chá) de leite e ⅓ de xícara (chá) de suco (puro, sem água) de limão, de laranja ou de maracujá (que, se for feito com a fruta, deve ser coado).
- **Bolo de chocolate:** acrescente à mistura 3 colheres (sopa) de chocolate em pó.

✓ Os ovos e a manteiga utilizados na receita devem estar em temperatura ambiente – retire-os da geladeira 30 minutos antes.

✓ Para untar a forma, você pode utilizar manteiga ou óleo – basta espalhar bem uma fina camada por toda a superfície interna da forma. Feito isso, polvilhe farinha de trigo, de modo que a superfície inteira fique polvilhada. Vire a forma e dê uma leve batida para retirar o excesso de farinha.

Sobremesas

O *grand finale* da refeição! Adoramos comer, mas bom mesmo é deixar aquele gostinho doce na boca. Reserve um tempo para preparar uma sobremesa, ainda que muito simples, como uma fruta com sorvete ou pudim, e feche a refeição com chave de açúcar e afeto.

PAVÊ

O QUÊ

- ✓ 1 l de leite
- ✓ 1 lata de leite condensado
- ✓ 4 gemas
- ✓ 3 colheres (sopa) de maisena
- ✓ 1 pacote de biscoito champanhe
- ✓ 1 abacaxi maduro cortado em cubinhos, sem o miolo
- ✓ Essência de baunilha

- ✓ Chantilly pronto (opcional)
- ✓ 1 pote pequeno de cerejas em calda

COMO

Prepare um creme batendo no liquidificador o leite, o leite condensado, as gemas, a maisena e algumas gotinhas de essência de baunilha. Leve a mistura ao fogo para dar uma engrossada e reserve.

Envolva o biscoito champanhe num pano limpo e dê umas marteladas para quebrá-lo. Coloque essa farofa no fundo de um refratário, cubra com o creme e faça uma camada de abacaxi. Cubra com filme plástico e leve à geladeira por pelo menos 3 horas. No momento de servir, cubra com uma camada de chantilly e coroe com cerejas.

Rendimento: 8 porções

Tempo de preparo: 20 minutos (mais o tempo de geladeira)

DICAS

- Em vez de montar o pavê num refratário, você pode fazer porções individuais, em taças.
- Quem não gosta de chantilly pode dispensar essa camada. Nesse caso, é mais conveniente que o abacaxi seja cozido em um pouco de água e açúcar mascavo para formar uma calda, assim a fruta não resseca na geladeira, já que vai ficar exposta na última camada. Você ainda pode substituir o chantilly por uma camada de geleia pronta, de preferência não muito doce, já que o creme é feito à base de leite condensado.
- O biscoito pode ser substituído por bolo pronto, que por sua vez pode ser umedecido com gotinhas de licor Amarula ou Baileys.
- A escolha da fruta é sua.
- Veja quantas variações esta sobremesa permite e solte a imaginação!

PUDIM DE LEITE

O QUÊ

- ✓ 2 latas de leite condensado
- ✓ 2 latas de leite (use a lata de leite condensado vazia como medida)
- ✓ 1 caixinha (200 g) de creme de leite
- ✓ 3 ovos
- ✓ 1 colher (sopa) de maisena

COMO

Bata todos os ingredientes no liquidificador por 2 ou 3 minutos – é esse tempo que vai garantir a cremosidade do pudim.
Se a jarra do seu liquidificador não comportar todo o líquido de uma só vez, bata-o em duas etapas e depois misture as duas partes em uma vasilha maior.
Coloque a mistura em uma forma caramelada e leve ao forno médio em banho-maria por 50 minutos, ou até

que passe pelo teste do palito (p. 185). Espere esfriar e desenforme, de preferência de um dia para o outro.

Rendimento: 12 fatias

Tempo de preparo estimado: 1 hora (mais o tempo de geladeira)

CALDA CARAMELADA PERFEITA

O QUÊ

✓ 2 xícaras (chá) de açúcar para cada ½ xícara (chá) de água bem quente

COMO

Leve o açúcar ao fogo baixo, mexendo até ficar dourado. Em seguida, junte a água quente (cuidado, porque nessa hora espirra!), mexa para incorporar os ingredientes e dissolver bem o açúcar. Desligue o fogo e deixe a calda descansar por uns 10 minutos.

MAS, AFINAL, O QUE É BANHO-MARIA?

Assar ou cozinhar em banho-maria nada mais é do que preparar o alimento sem contato direto com o fogo, usando uma forma com água quente, onde se coloca o recipiente em que a receita está sendo preparada. Para assar pudim em banho-maria, leve ao forno uma assadeira maior do que a forma onde será feita a sobremesa. Coloque dois dedos de água na assadeira e deixe o forno pré-aquecer. Depois, é só colocar dentro da assadeira, com a água já aquecida, a forma com o pudim.

MOUSSE DE CHOCOLATE

O QUÊ

- ✓ 300 g de chocolate meio-amargo
- ✓ 5 ovos separados

- ✓ 1 xícara (chá) de açúcar
- ✓ 1 lata de creme de leite com soro

COMO

Derreta o chocolate em banho-maria ou no micro-ondas. Na batedeira, bata as gemas com o açúcar até obter um creme bem homogêneo e clarinho. Acrescente o creme de leite com soro e o chocolate derretido e bata novamente.

Com uma colher furada ou um *fouet*, agregue delicadamente as claras batidas em neve e misture até incorporar tudo. Coloque em uma travessa e leve à geladeira de um dia para o outro.

Rendimento: 10 porções

Tempo de preparo estimado: 20 minutos

DICAS

- ✓ Para tudo ficar ainda mais charmoso, faça porções individuais, colocando a mousse em tacinhas e levando-as à geladeira.
- ✓ Use a criatividade para decorar a mousse. Ela vai ficar linda se você cobrir com raspas de chocolate (pode até usar o branco), chocolate granulado ou frutas, como morangos ou cerejas. Chantilly também fica ótimo na decoração.
- ✓ Você encontra a colher furada e o fouet para vender em lojas de utensílios de cozinha. Eles são grandes aliados no feitio de mousses e suflês.

Café

Cafezinho é importante, concorda? Para levantar da cama cedinho, para agradar uma visita, para despertar no trabalho, para tomar com pão fresquinho, para fechar uma refeição. Mas não vale café fraco nem muito forte; também não pode ser café barato, mas não precisa ser o mais caro. Pode ser de cafeteira elétrica, filtro de papel e até coador de pano. No Brasil, temos muitas opções de bons cafés no mercado, e recomendamos sempre os embalados a vácuo, por se manterem fresquinhos por mais tempo.

- ✓ Para 1 litro de água (garrafa térmica convencional), use 3 colheres (sopa) de pó.
- ✓ Outra coisa importante: café é que nem arroz – só é bom quando fresquinho –, portanto nada de requentar. Faça só o suficiente para aquele momento, afinal não dá trabalho nenhum passar um cafezinho fresco!

DICAS

- ✓ Aromatize seu café, juntando 1 colher (sopa) de chocolate em pó na hora de coar – mas tem que ser chocolate de boa qualidade, e sem açúcar.

✓ Use um pauzinho de canela no lugar da colher para mexer o cafezinho oferecido à visita. Ele fica ainda mais charmoso com o acréscimo de 2 sequilhos no pires.

Comidinhas ligeiras de festa

Patês

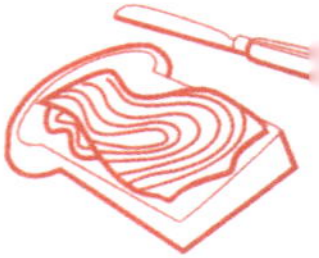

Dá para fazer inúmeras variações de patês usando como base ricota, requeijão, maionese e até iogurte.

Escolha a base (pode até misturar mais de uma, por exemplo: ricota com requeijão, iogurte com ricota etc.) e inclua um ingrediente para dar sabor – ervas, tomate seco, azeitona preta, mostarda com mel, alho... Misture bem todos os ingredientes, à mão ou em um processador de alimentos, tempere o patê a seu gosto, com sal, pimenta e azeite, e sirva com pães variados e torradinhas.

Barquinhas de pão

Cada pão francês rende duas barquinhas, uma em cada lado. Corte o pão de comprido, retire o miolo e leve ao forno para dar uma leve dourada. Numa frigideira, doure cubinhos bem pequenos de bacon, escorra a gordura e reserve. Prepare um purê de batatas comum e incorpore nele queijo prato ralado. Recheie cada banda do pão com o purê, salpique com o bacon crocante, volte ao forno para aquecer e sirva em seguida.

Minissanduíches de cheddar e cebola

Corte uma cebola roxa em cubinhos, doure na manteiga, some um pouquinho de açúcar mascavo e um pouco de shoyu. Desligue o fogo e misture esse refogado a um copo de queijo cheddar cremoso. Recheie quatro pães sírios com a mistura, corte-os em quatro partes e espete uma folha de hortelã em cada minissanduíche, com um palito bonitinho.

Brie com geleia

Um petisco sensacional e com nível de dificuldade zero!

Pegue uma peça de queijo brie, coloque em uma travessa e aqueça no micro-ondas por 2 minutos em potência baixa (e não pode bobear, porque o queijo derrete super-rápido). Cubra com a geleia de sua preferência e sirva com torradinhas ou bolachas de água.

Dá para substituir o brie por camembert.

Palitinhos de tomate-cereja, cream cheese e manjericão

Corte tomatinhos-cereja ao meio, tempere com vinagre balsâmico, azeite e sal. Em cada metade, coloque uma colherzinha de cream cheese (ou outro queijo cremoso de sua preferência), finalize com uma folhinha de manjericão fresco, espete um palitinho e disponha numa linda travessa de servir.

Azapas temperadas

Numa frigideira em fogo baixo, doure alho picado em azeite de oliva, junte azapas escorridas, mexa bem, desligue o fogo e junte orégano. Disponha as azeitonas numa tigelinha, com palitos longos para pescá-las.

Bruschettas clássicas

Coloque fatias de pão italiano em uma assadeira e leve ao forno pré-aquecido para dourar ligeiramente. Retire do forno e esfregue rapidamente um dente de alho cortado ao meio em cada fatia. Por cima de cada uma, distribua uma quantidade de tomate sem pele e sem sementes cortado em cubinhos pequenos, temperados com sal, azeite e pimenta-do-reino. Regue com mais azeite e leve ao forno para aquecer o tomate. Decore com folhinhas de manjericão fresco.

Tartar de tomate seco com rúcula e ricota

Misture tomate seco picado com ricota e rúcula refogada na manteiga com cebola ralada. Tempere com pimenta-do-reino moída na hora, sal e azeite de oliva. Use um aro ou um pires para cortar fatias de pão em círculos, enforme o tartar num copinho de patê menor que os círculos de pão e desenforme a mistura sobre cada fatia. Decore com ciboulette ou qualquer outra erva.

Espetinhos de queijo de coalho com melado

Corte tiras compridas de queijo de coalho, espete-as em palitos de churrasco, toste-as numa chapa ou grelha virando os lados, para dourar uniformemente. Arrume os espetinhos numa bandeja e sirva acompanhado de um ramequim com melado.

7

SERVIÇOS DE MESA

Uma comida honesta merece uma mesa bem-posta. E isso pode se aplicar a todos os dias da semana, não apenas aos dias de festa ou àqueles em que recebemos alguém em casa. Pode se aplicar até mesmo às refeições solitárias. Então não merecemos uma mesa coberta com toalha, com a louça bem arranjada e, quem sabe, até uma flor solitária na garrafa de azeite, embelezando nosso dia durante aquela merecida pausa revigorante? Por que não?

Acreditamos que a hora das refeições tem um quê de sagrado; acreditamos em seu poder de agregar a família e os amigos; acreditamos que

somos o que comemos; acreditamos que celebrar a vida nas pequenas coisas é importante. Por tudo isso, sugerimos amor à mesa.

Hoje em dia, é fácil enlouquecer com as opções de louça no mercado. Há lindas padronagens, cores e formatos, mas o ideal para quem está montando a cozinha é escolher o básico para atender a qualquer ocasião, variando apenas nos detalhes (guardanapos e flores). Portanto, dê preferência a louça branca (pratos, xícaras, açucareiro, manteigueira), copos transparentes e incolores, talheres de inox sem cabo colorido e toalhas neutras.

Mesa simples

Pode ser coberta com toalha ou não. Quando não forrada, pode-se lançar mão de jogos americanos para evitar o contato direto da louça, e principalmente dos talheres, com a superfície da mesa. Basta dispor o prato e assentar ao lado esquerdo o garfo e ao lado direito a faca, com o corte voltado para dentro. Do lado direito, um pouco mais acima, o copo para suco, água ou vinho (nesse caso, deve haver um segundo, para água). Para a mesa do dia a dia, os guardanapos podem ser de papel e devem estar dispostos em um porta-guardanapos, para ser apanhados diretamente por quem vai usar.

Evite levar embalagens para a mesa, pois elas poluem o visual, cada uma com seu padrão e apelo de *marketing* específicos. Coloque a manteiga na manteigueira, o suco numa jarra, os biscoitos num pote de vidro, o açúcar no açucareiro, o pão numa cesta, os frios em vasilhas plásticas apropriadas, o queijo na queijeira, e você verá a grande diferença que essa pequena providência fará na sua mesa de refeição.

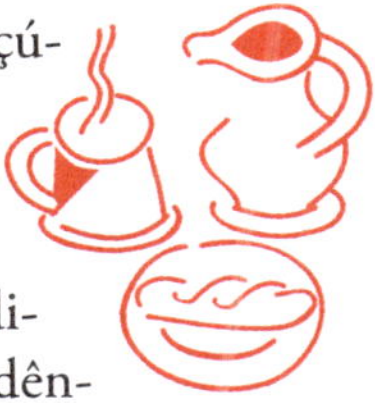

Além disso, deve haver descansos de panelas, caso a família tenha o hábito de levar a comida para a mesa. Ah! E flores, se possível. Uma que seja! E o melhor de tudo é que você não precisa ter vasos apropriados. Reaproveite frascos de conservas e garrafas bonitas de azeite ou bebida, tirando o rótulo, e garanta lindos suportes para flores.

Procure harmonizar padronagens – se a toalha é estampada, que a louça e os guardanapos sejam lisos; se a toalha for lisa, você pode utilizar guardanapos estampados. Tudo pela harmonia e pela beleza no dia a dia.

Mesa especial

Datas importantes, pequenas conquistas, visitas queridas ou ilustres são motivos para uma mesa ainda mais caprichada. São dias para usar uma toalha de linho ou adamascada, ou sous-plats; guardanapos de tecido presos ou não por porta-guardanapos; são dias para usar a louça de herança; para não abrir mão das flores, que podem ser dispostas em sopeiras de louça da vovó, lindas para arranjos baixos, ou em leiteiras; ou quem sabe ainda para colocar flores flutuantes em pequenos ramequins ou potinhos de vidro cheios de água...

Aproveite a hora de compor o arranjo de flores e exercite sua criatividade e sua conexão com a beleza. Não permita, porém, que os arranjos fiquem na altura do rosto das pessoas sentadas à mesa, para não comprometer a visibilidade entre elas. Nesse caso, recomendam-se arranjos baixos. Evite flores que exalam perfume, pois ele pode confundir o aroma e o paladar da comida. Da mesma forma, evite queimar incensos na hora da refeição, pelo mesmo motivo.

Na falta de porta-guardanapos individuais, uma pequena flor, um ramo de hortaliça ou um vegetal em miniatura em cima do guardanapo dobrado sobre cada prato, ou um simples laço de fita envolvendo o guardanapo, dão efeitos tão bonitos quanto. Há lindos guardanapos de papel estampados, vendidos em lojas do ramo, que podem ser utilizados em dias de festa, especialmente as diurnas – enrolados como canudos e enfiados em copos transparentes, causam um lindo efeito.

Se a mesa for composta para o jantar, os pontinhos de luz de velas são sempre muito bem-

-vindos. As velas podem ir à mesa em pequenos porta-velas ou copinhos improvisados; podem ser dispostas sobre taças emborcadas; podem ser encaixadas em garrafas... Tal qual com as flores, esse também é um bom momento para soltar a imaginação e uma boa forma de trazer cor à mesa. Mas evite apagar as luzes do ambiente e deixar apenas as velas, pois são grandes as chances de criar uma atmosfera fantasmagórica, que induz ao sono. Apenas reduza a luminosidade, acendendo uma luminária ou luz de ambiente contíguo. Não é função desses pontinhos de luz iluminar, mas dar brilho à mesa.

A disposição da louça e dos talheres permanece a mesma, mas, no caso de haver consumo de vinho, é necessária a utilização de dois copos, um para o vinho e outro para a água.

Mesa de bufê

Se sua mesa não comportar o número de convidados que pretende receber, sirva à americana, ou seja, prepare a mesa como apoio, coberta ou não com toalha, dispondo ali a louça empilhada, os talheres emparelhados, os guardanapos sobrepostos, os copos enfileirados, o arranjo de flores descentralizado e um espaço à frente para as travessas de comida.

Mesas de apoio

São uma ótima solução para pequenas reuniões informais em casa, quando não se pretende servir à mesa. Nessas ocasiões, qualquer mobiliário que possa servir de apoio é muito bem-vindo para espalhar comidinhas pelo ambiente, evitando assim centralizar tudo numa única mesa e causar aglomeração.

Mesas de centro, mesas de canto, balcões, aparadores e até banquinhos podem servir de suporte para tigelas, pratinhos e bandejas contendo acepipes como frutas secas, castanhas, sanduíches e docinhos, deixando a mesa de jantar para acomodar recipientes maiores, como pratos de quiches, saladeiras, travessas, tortas, entre outros, que precisam também de acessórios, como pratos, talheres e guardanapos, os quais podem estar dispostos ao lado – embora os aparadores sejam perfeitos para arranjar louça, copos, talheres e guardanapos.

Como as mesas de apoio geralmente são menores, não é necessário que haja flores em cada uma delas. Nesse caso, priorize a mesa maior para um arranjo e, a depender do tamanho, também a mesa de centro para comportar outro pequeno arranjo. Mais uma vez, garrafinhas são ótimas opções para as mesas de apoio, por ocupar pouco espaço.

Não se esqueça de espalhar porta-copos, cinzeiros e potinhos vazios quando servir qualquer alimento que contenha caroço, como azeitonas.

Decoração de pratos

Pois bem, você arrumou lindamente a mesa, comprou flores e está feliz da vida com o resultado. Agora diz: Dá para levar a comida à mesa nas panelas? A não ser que sejam panelas belíssimas, o ideal é dispor os alimentos em travessas e recipientes de louça ou vidro. Ou, se preferir, você pode optar pelos empratados, pratos individuais que já vêm feitos da cozinha. Seja como for, as dicas mais importantes para compor um lindo prato são:

A escolha dos recipientes certos: evite pratos muito cheios, que corram o risco de escorrer ou desmontar quando manipulados ou passados de um lado para o outro da mesa, causando acidentes ou sujando a mesa e as pessoas; evite recipientes rasos para pratos com molho, ou fundos para carnes que precisam ser trinchadas, ou plásticos para alimentos quentes.

Equilíbrio: não componha um empratado com mais de três itens, pois é muita informação para o paladar – procure equilibrar uma opção de carboidrato, uma de proteína e outra de vegetais.

Contraste de cores: o prato não precisa ter todas as cores do mundo, mas algum contraste é importante para quebrar uma possível monotonia cromática. Por exemplo, se você resolver servir um risoto milanês, que é um prato amarelo, é muito importante ornamentá-lo com uma folha de hortaliça, como o manjericão, melhor amigo das massas e risotos. O contraste entre o amarelo e o verde tornará o prato muito mais elegante. Aliás, as hortaliças são importantes aliadas na decoração de pratos, especialmente massas e carnes. Almôndegas e hambúrgueres ficam lindos sobre caminhas de folhas, como alface. As saladas por si sós, quando mistas, já possuem contrastes perfeitos, basta que sejam

bem arranjadas. E o que dizer do nosso bom e velho prato de feijão com arroz, em seu contraste perfeito de cores?

Contraste de texturas: cobrir a superfície lisa de um creme com um granulado de castanhas; mergulhar palitos de vegetais em um molho; afundar um escalope num purê; misturar grãos de milho com o próprio creme de milho; rechear um vegetal com carne moída; guarnecer uma peça de salmão com delicadas alcaparras; espalhar grãos de pimenta sobre o filé; colocar queijo ralado sobre a massa; fazer camadas de creme, biscoito e frutas em um pavê; ou até mesmo preparar uma simples sopa de letrinhas são apenas alguns exemplos de contraste de texturas que, além de agradar o paladar, também fazem bem aos olhos!

Acessórios decorativos: todo e qualquer elemento decorativo do prato deve ser comestível. Jamais utilize uma flor para decorar um prato, por exemplo, se não tiver certeza de que ela pode ser ingerida. São muitas as possibilidades oferecidas pela natureza, como estrelas de carambola, cortes criativos de morangos, limões e tomates, composições feitas com azeitonas, cogumelos-paris, palmitos, ovos cozidos e tantas outras opções! Experimente, ouse!

Disposição dos alimentos: quando possível, brinque com a altura e a disposição dos alimentos no prato. Por exemplo, palmitos cortados em diagonal ficam lindos em pé acompanhando um filé baixinho. Outras ideias são: costelinhas empilhadas no meio do prato e coroadas com hortaliças, talos mergulhados em purês, arroz enformado, vegetais utilizados como recipientes (camarão na moranga, por exemplo), palitos de biscoito ou chocolate enfiados no sorvete... São ideias que brincam com a dinâmica do prato e podem torná-lo mais elegante.

Desenhos no prato: um bico fino na garrafa de azeite proporciona lindos desenhos num empratado; da mesma forma, aqueles frascos plásticos utilizados para colocar ketchup e mostarda nas lanchonetes são perfeitos para desenhar com caldas e molhos mais espessos. Utilizar garfos e palitos para desenhar a partir de fios de azeite, caldas e molhos e polvilhar ervas, condimentos em pó e alimentos ralados (como casca de limão e queijos) também proporcionam lindos efeitos.

Todas essas dicas confirmam a máxima de que comemos primeiro com os olhos. O contato visual é a primeira "mordida", e trazer beleza à mesa nossa de cada dia é um passo e tanto para uma vida cotidiana mais feliz.

Caro leitor,

Esperamos que nosso *Pequeno livro de cozinha* tenha incentivado você a descobrir o delicioso território das panelas. Que ele lhe sirva de guia para os primeiros passos e o acompanhe nas descobertas que ainda virão. Leve-o para a cozinha e (tomara!) logo ele estará sujo de farinha ou marcado em suas receitas favoritas.

Esperamos que você tenha tido tanto prazer na leitura quanto nós tivemos ao escrevê-lo.

Obrigada pela companhia!

GLOSSÁRIO

À americana: tipo de serviço utilizado quando o número de convidados não cabe à mesa. Nessas ocasiões, os alimentos são dispostos na mesa para que as pessoas se sirvam e se sentem espalhadas pelo ambiente.

À la julienne: corte do alimento em formato de palito.

Almofariz: recipiente utilizado para amassar e triturar temperos e ervas, composto de uma tigela e uma espécie de bastão, e que pode ser feito de madeira, louça ou pedra-sabão. Também chamado de pilão.

Antepasto: aperitivo, entrada.

Azapa: azeitona preta de origem chilena, grande, úmida e carnuda.

Cassoulet: cozido de feijão branco e carnes típico da culinária francesa.

Chutney: espécie de compota agridoce, ótima para acompanhar grelhados e assados.

Ciboulette: hortaliça fresca semelhante à cebolinha, porém mais fina e delicada, também chamada de cebolinha francesa.

Contaminação cruzada: transmissão de micróbios de um alimento para outro.

Croûtons: pequenas torradas feitas de cubinhos de pão, para acompanhar saladas e sopas.

Fouet: batedor manual de arame ou plástico.

Marinada: mistura de temperos em que se deixa a carne de molho.

Molho pesto: molho italiano à base de manjericão que não necessita de cozimento, geralmente feito com alho, azeite, queijo parmesão ou pecorino e pignoli, além da erva fresca.

Paella: prato típico espanhol à base de arroz e frutos do mar.

Ramequim: tigela de louça própria para ir ao forno. Pode ser encontrada em tamanho grande ou individual e é muito indicada para o preparo de suflês.

Reduzir: deixar secar o caldo ou a gordura do alimento, ao fogo.

Selar: dourar a carne numa panela ou frigideira bem quente para fechar sua superfície, evitando a perda de seus sucos naturais.

Sobrecu: protuberância de onde saem as penas da cauda da galinha, também conhecida como curanchim.

Sousplat: suporte para o prato, que dispensa a toalha de mesa.

Tartar ou tartare: enformado de carne fria e geralmente crua, picada ou desfiada, com condimentos, hortaliças e conservas.

SABÃO

PAPEL HIGIÊN.

PIZZA

PREGADOR

MANTEIGA